esespañol 1
nivelinicial

libro del profesor

libro del profesor

DIRECCIÓN LINGÜÍSTICA
Santiago Alcoba
de la Universidad Autónoma de Barcelona

ASESORÍA LINGÜÍSTICA Y METODOLÓGICA
José Gómez Asencio y Julio Borrego Nieto
de la Universidad de Salamanca

DIRECCIÓN GENERAL DE ES ESPASA
Víctor Marsá

DIRECCIÓN EDITORIAL DE MATERIALES EDUCATIVOS
Marisol Palés

COORDINACIÓN EDITORIAL
Alegría Gallardo

EDICIÓN
Jeaninne Bello

ASESORÍA LINGÜÍSTICA Y METODOLÓGICA
José Gómez Asencio y Julio Borrego Nieto
Universidad de Salamanca

CONSULTORÍA DIDÁCTICA Y CURRICULAR
Rafael Sánchez Sarmiento

DESARROLLO DE PROYECTO: MIZAR MULTIMEDIA, S.L.
DIRECCIÓN EJECUTIVA
José Manuel Pérez Tornero
Universidad Autónoma de Barcelona

DIRECTORA DE PLANIFICACIÓN Y COORDINACIÓN
Claudia Guzmán Uribe

DIRECCIÓN LINGÜÍSTICA Y DIDÁCTICA
Santiago Alcoba
Universidad Autónoma de Barcelona

DIRECCIÓN DE CONTENIDOS
José M.ª Perceval

EDITOR LINGÜÍSTICO
Agustín Iruela

COORDINACIÓN LINGÜÍSTICA
Nuria Soriano Cos

EQUIPO LINGÜÍSTICO
Carmen Carbó, Marta Inglés y Ana Irene García

EDITOR DE CONTENIDOS
Diego Blasco

MAQUETACIÓN
Borja Ruiz de la Torre

AYUDANTE DE MAQUETACIÓN
Lidia Bria

ILUSTRACIONES
Gumersindo Reina Lara y Valentín Ramón Menéndez

INVESTIGACIÓN Y CONTROL DE CALIDAD
Juan Manuel Matos López

DOCUMENTACIÓN GRÁFICA
Mizar Multimedia, S.L.

DISEÑO INTERIOR Y DE CUBIERTA
Tasmanias, S.A.

Este método se ha realizado de acuerdo con el Plan Curricular del Instituto Cervantes,
en virtud del Convenio suscrito el 25 de abril de 2001

DEPÓSITO LEGAL: M. 48.589-2001
ISBN: 84-239-2913-2

Impreso en España / Printed in Spain
Impresión: Unigraf, S. L.

EDITORIAL ESPASA CALPE, S. A.
Carretera de Irún, km. 12,200
28049 Madrid

ÍNDICE

El curso esespañol

Es español es un curso de español como lengua extranjera dirigido a jóvenes y adultos y estructurado en tres niveles: Inicial, Intermedio y Avanzado. Ha sido diseñado siguiendo las especificaciones del Plan Curricular del Instituto Cervantes en cuanto a objetivos y contenidos de aprendizaje.

Este curso se presenta como un *sistema* multimedia compuesto por diversos soportes, integrados e interrelacionados entre sí:

- Libro del alumno
- Audio del alumno, en versión casete y CD
- Cuaderno de recursos y ejercicios
- Audio del Cuaderno de recursos y ejercicios, en CD (se entrega gratuitamente junto con el anterior)
- Libro del profesor
- Vídeos (incluyen Guía Didáctica)
- CD-ROM (incluyen Guía Didáctica)
- Internet

El sistema está concebido para que los libros actúen como guía y nexo de unión entre el resto de soportes, que tienen como función suministrar un amplio abanico de actividades de refuerzo e información complementaria. Así, por ejemplo, el *Libro del alumno* y el *Cuaderno de recursos y ejercicios*, complemento del primero, están centrados en la comprensión de la lengua y en la reflexión sobre su uso. El *Libro del profesor*, a su vez, es complementario de ambos ya que incide en las destrezas productivas con actividades de solución abierta, al tiempo que propone las condiciones que más favorecen el aprendizaje de una lengua en el aula. Los restantes soportes (vídeos, CD-ROM e Internet) ofrecen a su vez posibilidades de aprendizaje propias pero complementarias.

Esta arquitectura multisoporte confiere al curso gran flexibilidad, lo que permite su adaptación a diferentes contextos de aprendizaje: en el trabajo de aula o en el aprendizaje autónomo del alumno, en enseñanza asistida por ordenador, etc.

Dada la complementariedad de los materiales, no es indispensable el acceso a todos los soportes. Esta es una característica diferenciadora del curso ***Es español***. El resultado es una propuesta para enseñanza/aprendizaje del español completa e innovadora, con el valor añadido de ofrecer a la vez flexibilidad para adaptarse al aprendizaje autónomo y a la enseñanza presencial.

Criterios metodológicos generales

El curso ofrece una amplia variedad de temas y situaciones con el propósito de que el alumno los pueda relacionar con sus vivencias e inquietudes personales. Además, recoge suficientes elementos como para permitir estrategias de aprendizaje diversas, adaptadas a las características del alumno o grupo de alumnos.

En efecto, como ya se ha apuntado, se pretenden la máxima flexibilidad y adaptabilidad a diferentes contextos de aprendizaje, a diferentes estilos de aprendizaje individuales y a diferentes soportes, siempre en consonancia con los principios generales ampliamente aceptados por la comunidad de investigadores y didactas de lenguas extranjeras.

Para ello, el curso se caracteriza por ser **ecléctico** en cuanto a la elección de opciones metodológicas, con el fin de garantizar la máxima adaptabilidad a sus destinatarios.

Los criterios metodológicos principales que han inspirado el curso se resumen en los puntos siguientes:

- Una **programación de contenidos** centrada tanto en los aspectos gramaticales y funcionales de la lengua como en los procesos del aprendizaje y los productos que debe obtener el alumno al finalizar las actividades. Esta programación se reproduce en cada uno de los soportes.

- Enseñanza centrada en un **uso significativo de la lengua**, no sólo radicada en la corrección formal, sino también en el uso de la lengua con un propósito, con una intención, en un contexto determinado y dirigida un interlocutor determinado.

- **Muestras lingüísticas** lo más auténticas posible, compensadas con el criterio de facilitación pedagógica al conocimiento lingüístico de cada nivel. Se ofrece y se promueve la lengua en uso. La variedad lingüística de referencia es el español estándar del centro y norte de España, sin dejar de lado variedades del español de América. En la pronunciación de algunos personajes podemos identificar este fenómeno. Asimismo, aparecen muestras de la lengua coloquial en ciertos textos orales y escritos.

- **Posibilidad de aprendizaje inductivo y deductivo**. El curso pretende que el alumno interiorice y automatice de forma intuitiva las normas de la lengua y de la comunicación a través de la lengua en uso. Así, hay una tendencia a presentar la información lingüística y cultural de forma inductiva, para estimular al alumno a participar de forma activa en el proceso de aprendizaje, favoreciendo que descubra fenómenos de la lengua y guiándolo en la generación de reglas sobre su funcionamiento.

  Con todo, el curso tiene presente que para los alumnos con un estilo de aprendizaje deductivo (previo conocimiento de la regla y posterior aplicación), y también en contextos de autoaprendizaje, es conveniente ofrecer referencias explícitas de gramática y páginas de consulta para que el alumno verifique sus hipótesis o acceda directamente a los contenidos lingüísticos de cada lección. Para ello presenta descripciones del funcionamiento de la lengua en la sección de *Recursos* y en el *Apéndice gramatical* del *Libro del Alumno*, y en las *Brújulas* del *Cuaderno de recursos y ejercicios*. También ofrece ejercicios diseñados para que el alumno efectúe una práctica consciente de las normas de la lengua. Sin embargo, en última instancia es necesario comprender el sentido comunicativo y las intenciones que implican las formas lingüísticas que se practican, más allá del dominio del sistema formal de la lengua.

- **Desarrollo de la responsabilidad del alumno en su propio proceso de aprendizaje**. Efectivamente, ***Es español*** parte de la base de que un elemento clave para el éxito del aprendizaje es fomentar la autonomía del aprendiz. Este interés se concreta básicamente en cuatro acciones:
  - **a)** *Responsabilizar al alumno*. El curso pretende facultarlo para que tome decisiones que afecten a su aprendizaje y así optimizar su esfuerzo, como el itinerario entre actividades y recursos más adecuados para las circunstancias que definen su contexto de aprendizaje.
  - **b)** *Desarrollar sus estrategias de aprendizaje y comunicación*. Favorece el aprendizaje al hacer que tome conciencia sobre el control que puede y debe ejercer sobre su propio proceso de aprendizaje.

c) *Ofrecer material didáctico autoevaluable*. La mayoría de las actividades del *Libro del alumno* y del *Cuaderno de recursos y ejercicios* contienen una solución cerrada.
d) *Proponer un enfoque adaptable a diferentes perspectivas didácticas*. Con este propósito se ha tenido en cuenta la diversidad de estilos de aprendizaje de los alumnos y de estilos de enseñanza de los profesores.

- Posibilidad de disponer de una **traducción,** en la lengua del alumno, de las instrucciones de las actividades y de los apéndices o herramientas de algunos soportes de los niveles inicial e intermedio, con el fin de facilitar el trabajo autónomo. Los CD-ROM e Internet son, en este sentido, los soportes donde se ofrece principalmente este recurso.

- Relación con el **enfoque por tareas,** en la medida en que las actividades del *Libro del alumno* capacitan al aprendiz para las tareas más complejas y globales diseñadas en el *Libro del profesor* del estudio presencial o semipresencial.

Así, ofrece la posibilidad de adaptación tanto a estilos de aprendizaje basados en la traducción como en la inferencia, organizados linealmente o actitudinalmente, etc. En definitiva, ofrece una posibilidad para cada necesidad.

El nivel inicial: esespañol 1

Objetivos

Cuando el alumno complete los estudios de este **nivel inicial**, será capaz de comprender y producir (con un interlocutor o en grupo) enunciados referidos a necesidades y relaciones sociales cotidianas; sensaciones físicas y sentimientos; opiniones y sentimientos expresados con sencillez. También entenderá lo esencial de una información de los medios y tendrá una lectura comprensiva de textos cortos y auténticos o será capaz de obtener una comprensión global por el contexto. Además podrá escribir notas breves y descripciones y narraciones cortas, comprensibles aunque contengan algún error ortográfico, léxico o gramatical.

En cursos presenciales, las destrezas productivas se trabajan en el aula en forma de las tareas diseñadas en el *Libro del profesor* con materiales y actividades apuntados y reiterados en los diferentes soportes de que dispone el alumno.

En el aprendizaje autónomo, las destrezas productivas, solo trabajadas por imitación y recreación de modelos, son objeto fundamental de los cursos de Internet con animador o monitor asíncrono o, mejor, síncrono.

Duración

La carga docente y el número de horas medio previsto para adquirir los objetivos del nivel es el siguiente:

- Número medio de horas por nivel .... 120 h.
- Número medio de horas por bloque .... 30 h.
- Número medio de horas por lección .... 10 h.

Como referencia para establecer estos parámetros, se tomó el número de horas de un curso presencial en los Institutos Cervantes:

	Rabat	Milán/ Nápoles	Munich	París	Nueva York	Londres	Varsovia/ Utrecht	Lisboa
Inicial	180 h.	100 h.	150 h.	120 h.	140 h.	120 h.	120 h.	120 h.

Un curso presencial presupone horas de estudio y práctica adicional a las horas de clase: resolver ejercicios, trabajo con los diferentes soportes (CD-ROM, vídeos, Internet), etc.

El Libro del profesor

Es español asume que el papel del profesor es el de consejero y asesor del alumno, que resuelve dudas, propone actividades y ayuda a que el alumno progrese en su aprendizaje con la máxima autonomía y eficacia posibles. El profesor también coordina la planificación y desarrollo de las actividades, y adapta su grado de complejidad, simplificándolas o aumentando su grado de dificultad en función de las características de los alumnos. Diseña, en definitiva, un itinerario de aprendizaje.

Existen numerosos contextos de aprendizaje que condicionarán la elección del itinerario más apropiado para cada situación: falsos principiantes que deseen empezar desde el inicio del curso, alumnos que ya conozcan otra lengua parecida a la española, diferencias de edad, de intereses, de creencias sobre el aprendizaje de una lengua, etc. Para responder a esta complejidad, el sistema permite gran cantidad de rutas válidas para recorrer a lo largo de los diferentes soportes, secciones y actividades, según los objetivos y necesidades de sus alumnos.

El propósito de este *Libro del profesor,* en consecuencia, es ofrecerle un instrumento útil para facilitar su tarea docente, ayudándole a perfilar itinerarios adaptados a los diversos contextos de aprendizaje que se le puedan presentar. En él encontrará recursos y propuestas para crear entornos de comunicación que promuevan un uso significativo de la lengua en el aula. De esta forma sus alumnos podrán participar sus intereses, hablar de sí mismos y comunicarse de forma efectiva con los compañeros. En resumen, contribuir a crear un entorno favorable para el aprendizaje.

Estructura y contenidos

El *Libro del Profesor* se estructura en 12 lecciones que siguen el desarrollo de las lecciones correspondientes del *Libro del Alumno.*

En él encontrará reproducciones de las páginas del *Libro del alumno*, así como comentarios y observaciones a sus contenidos o a algunas de sus actividades, identificados con el número de la actividad a la que se refieren. En ocasiones hay secciones sin actividades comentadas.

También encontrará propuestas de actividades distintas a las del *Libro del alumno*, centradas en promover la interacción en el aula así como la producción oral y escrita. Están referenciadas con una letra y aparecen bajo el epígrafe *Actividades alternativas.*

En cada lección se ofrecen de promedio más de diez *Actividades alternativas* con el propósito de que usted disponga de una cantidad de ideas suficiente para seleccionar las que crea que funcionarán mejor y son más apropiadas para las características de sus alumnos. Tenga presente que a las personas nos gusta hablar y escribir, ante todo, de lo que nos interesa.

El símbolo (•) indica frases, preguntas y temas para que los alumnos interaccionen. Son ideas ya probadas en el aula que suelen funcionar bien. Sin embargo, necesariamente usted debe reflexionar, antes de proponer la actividad a sus alumnos, sobre si estas frases son adecuadas para las circunstancias exclusivas del momento y, en caso contrario, modificarlas o adaptarlas de forma conveniente.

Seleccione las actividades que considere más idóneas y el momento en que las propondrá en función de las necesidades de sus alumnos, sus características, su diversidad y la fase de adquisición en que se encuentren. Intercale las actividades de los tres libros, o recurra cuando lo crea oportuno a los restantes soportes del curso, buscando un equilibrio que se adapte a las necesidades de sus alumnos y a su estilo de aprendizaje. Recuerde que el sistema le ofrece abundante material para que sus alumnos practiquen, consoliden y profundicen en su aprendizaje del español.

En las lecciones de este *Libro del Profesor* encontrará sugerencias concretas centradas sobre cada una de las lecciones del *Libro del Alumno.* Adicionalmente, y en la última parte de esta Presentación, encontrará también información práctica sobre los restantes soportes que conforman el curso ***Es español*** y algunas indicaciones para su utilización en el aula.

Confiamos en que las propuestas que contiene este libro le serán útiles en su tarea. Sabemos que cada profesor tiene sus propias creencias sobre el aprendizaje y que cada grupo de estudiantes es diferente a cualquier otro. Siendo conscientes de esta variabilidad, le ofrecemos a continuación una descripción de los diferentes soportes que integran el curso, para que pueda hacer la mejor explotación de ellos y pueda adaptarlos a su particular contexto de enseñanza.

Los otros soportes del curso

El Libro del alumno

Contiene la secuencia de contenidos básica de cada nivel y ofrece actividades de comprensión auditiva y escrita, así como propuestas de reflexión sobre el uso de la lengua. Los documentos **audio** correspondientes a ese libro se presentan en doble formato, casete y CD.

El libro consta de 12 lecciones, con autoevaluación final, agrupadas en cuatro bloques de tres lecciones cada uno, al término de los cuales se ofrece como recapitulación una evaluación de bloque. Además, contiene cuatro apéndices concebidos para desarrollar la autonomía del alumno: un *Léxico en imágenes*, un *Apéndice gramatical*, otro *Apéndice de transcripciones* y un *Apéndice de soluciones*.

Las lecciones del Libro del Alumno presentan una estructura idéntica, articulada en secciones. Estas secciones, que se reproducen en el CD-ROM, son las siguientes:

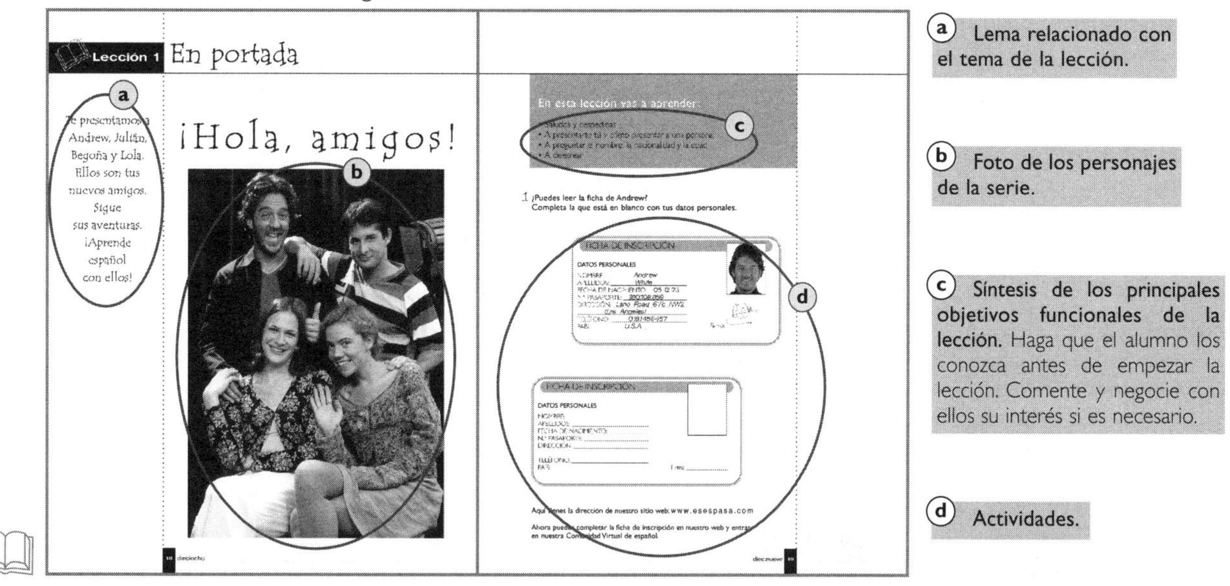

En portada. Presenta el tema de la lección y activa el conocimiento previo que el alumno tiene sobre el mismo.

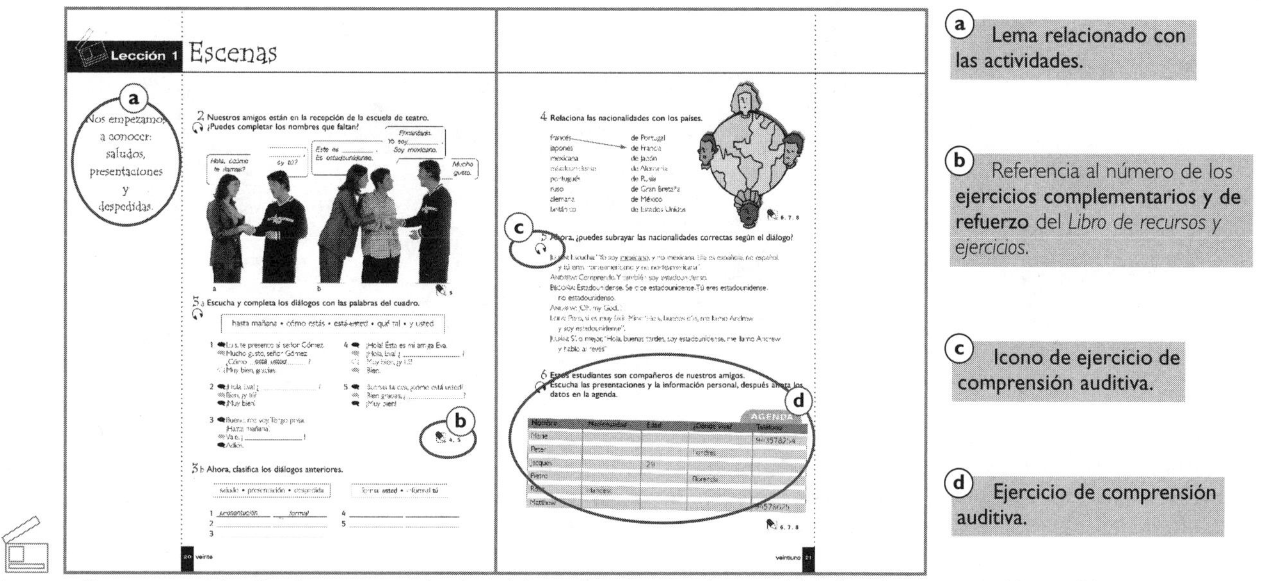

Escenas. Se centra en las funciones comunicativas. Normalmente contiene actividades de comprensión auditiva.

Los otros soportes del curso

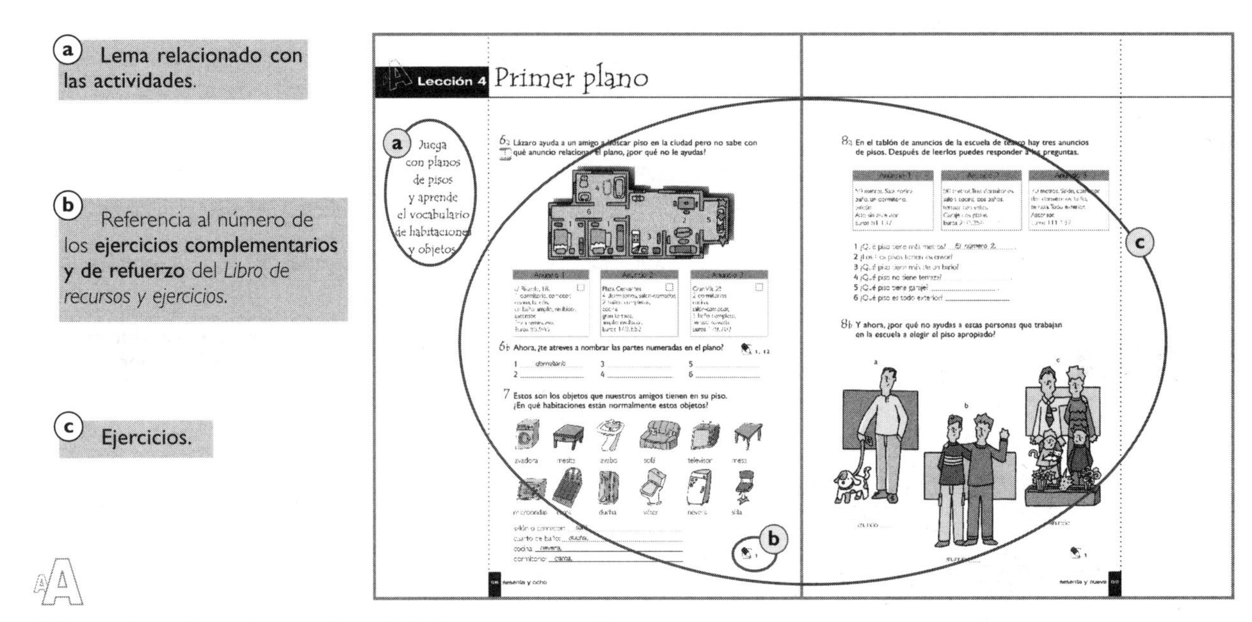

ⓐ Lema relacionado con las actividades.

ⓑ Referencia al número de los **ejercicios complementarios y de refuerzo** del *Libro de recursos y ejercicios*.

ⓒ Ejercicios.

Primer plano. Se centra en el vocabulario y en la gramática.

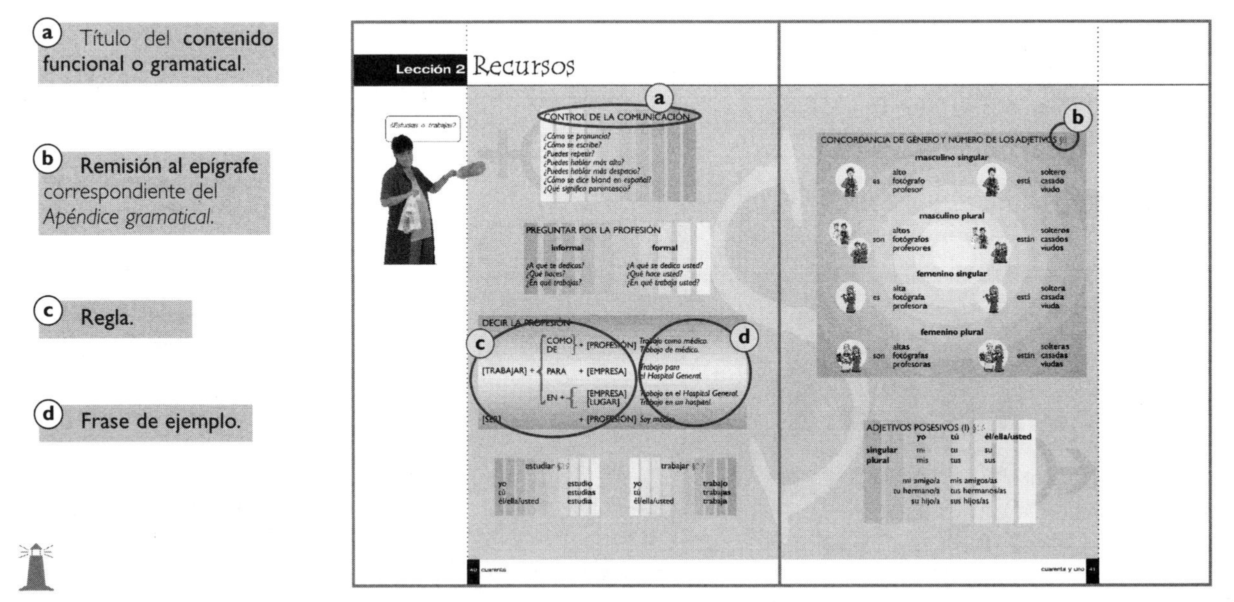

ⓐ Título del **contenido funcional o gramatical**.

ⓑ **Remisión al epígrafe** correspondiente del *Apéndice gramatical*.

ⓒ Regla.

ⓓ Frase de ejemplo.

Recursos. Permite consultar de forma rápida los principales aspectos funcionales y gramaticales tratados en la lección. En muchos casos, los elementos gramaticales aparecen de forma fragmentaria en varias lecciones. En el *Apéndice gramatical* vuelven a aparecer organizados como sistema.

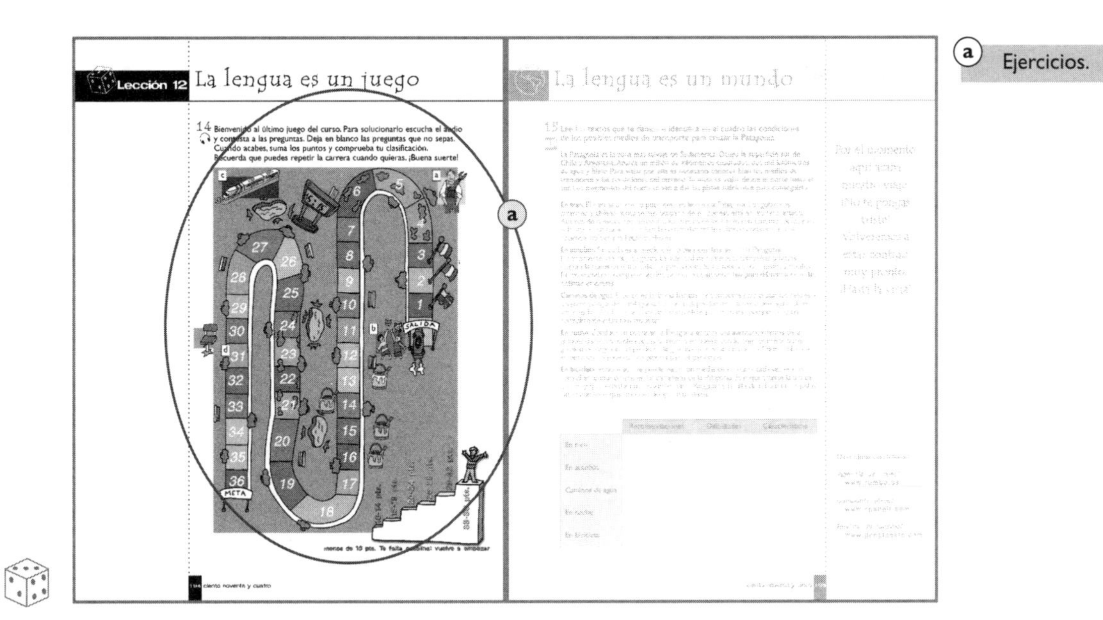

La lengua es un juego. Contiene ejercicios de práctica lúdica de algún contenido de la lección.

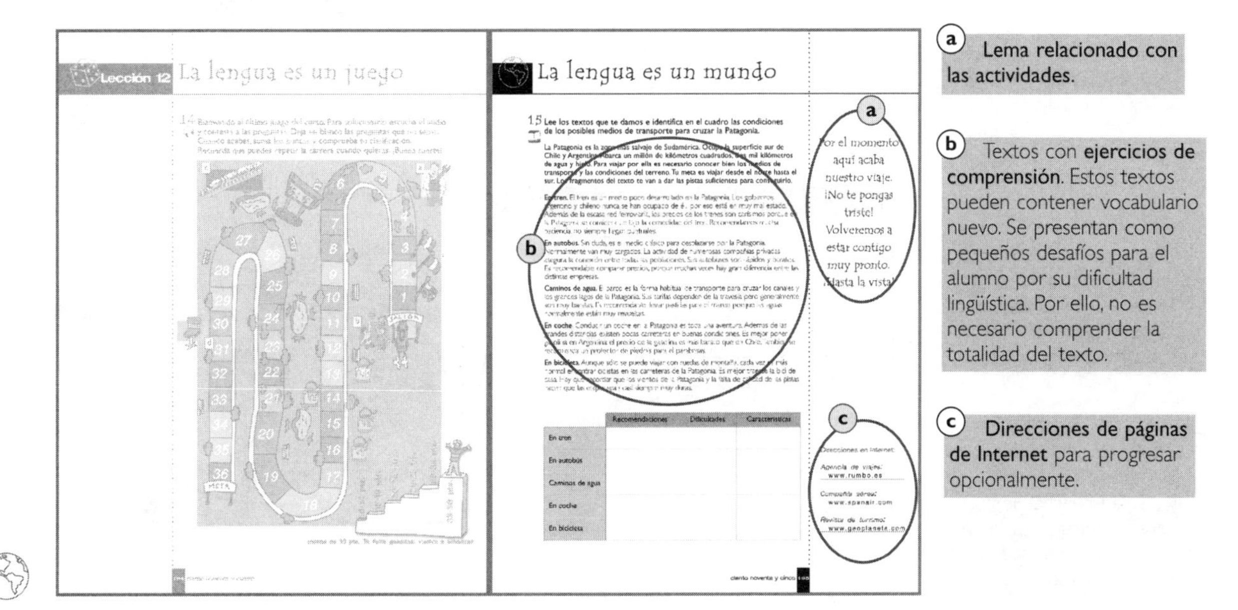

La lengua es un mundo. Ofrece textos sobre la cultura del mundo hispano para la reflexión y el contraste con la realidad cultural del alumno.

Los otros soportes del curso

ⓐ Uno o varios ejercicios autoevaluables que permiten al alumno verificar su aprovechamiento de la lección.

ⓑ Pautas para guiar una reflexión del alumno sobre su aprendizaje en la lección.

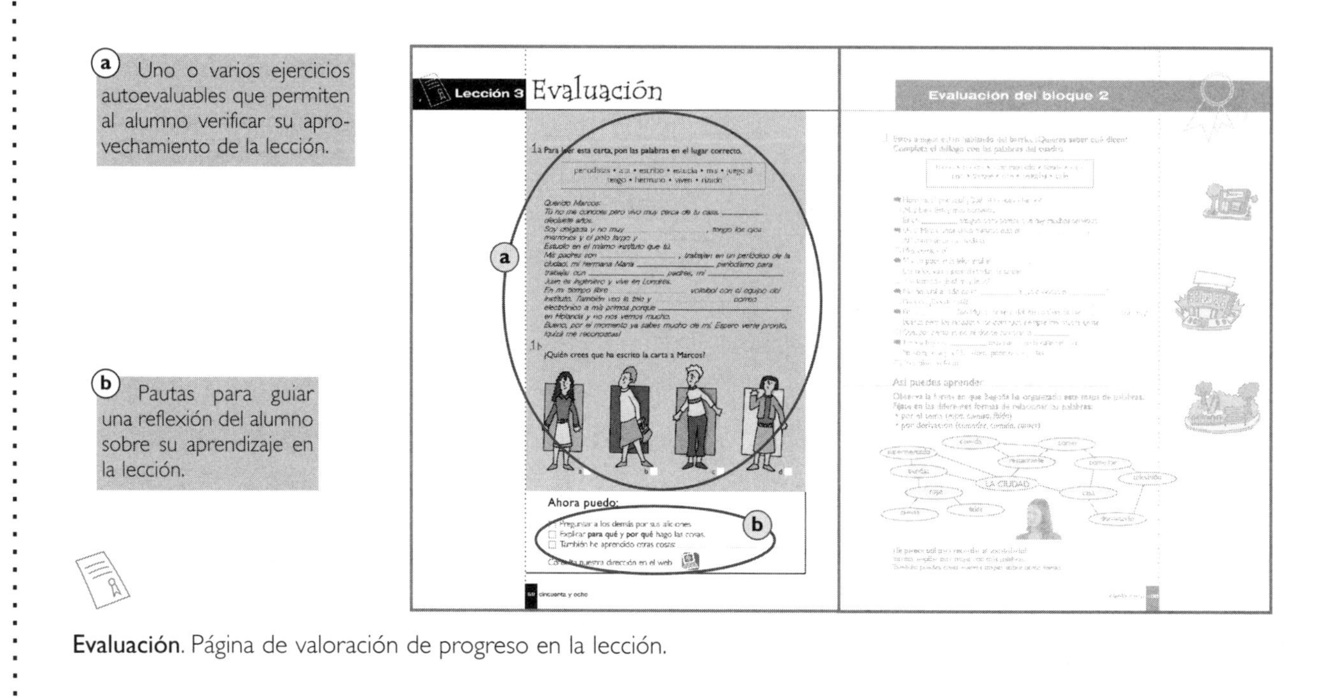

Evaluación. Página de valoración de progreso en la lección.

ⓐ *Así puedes aprender*. Ofrece una reflexión sobre las estrategias de aprendizaje y los procesos de comunicación con el propósito de que el alumno desarrolle su conciencia metalingüística y le proporcione una ayuda para optimizar su aprendizaje.

ⓑ Ejercicios autoevaluables sobre los contenidos gramaticales, léxicos o de uso de la lengua aparecidos en las tres lecciones anteriores.

ⓒ *Reflexión*. Pretende guiar al alumno hacia la reflexión sobre su aprovechamiento de las lecciones para que asuma responsabilidades sobre su proceso de aprendizaje.

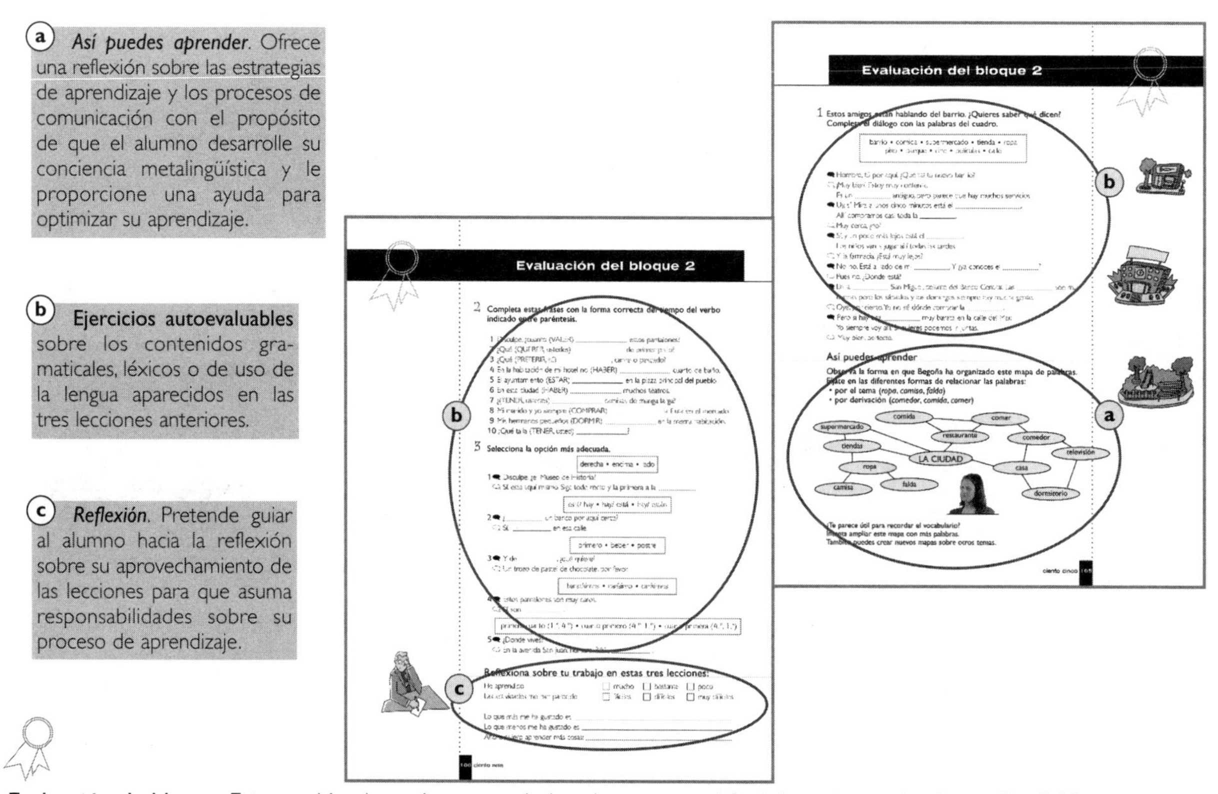

Evaluación de bloque. Esta sección, de carácter recapitulatorio, aparece al final de cada tres lecciones. Se divide en tres partes.

El *Libro del alumno* en el aula

La presentación de las actividades en el *Libro del alumno* no debe condicionar su orden de acceso. Es decir, la numeración de las actividades no pretende en absoluto que se sigan de forma lineal. Como ya se ha apuntado, el criterio del profesor y de los alumnos, en función de sus necesidades, debe trazar un itinerario propio para realizar los ejercicios.

No cabe duda de que el *Libro del Alumno* será su herramienta básica en el aula. Por ello le ofrecemos a continuación algunos **procedimientos** de carácter general para rentabilizar al máximo este soporte. Para propuestas de carácter específico le remitimos a las lecciones de este *Libro del profesor.*

Presentar las actividades

Presente las actividades y anticipe su contenido para hacerlas más fáciles y motivar a sus alumnos. Una buena forma de aprender algo nuevo es hacerlo a partir de los conocimientos previos. Apoye, por tanto, la información nueva en lo que ellos ya conocen.

Dé instrucciones claras y asegúrese de que le han entendido. Una buena forma de hacerlo es ejemplificar las actividades y realizar usted una demostración delante de todos. Si le parece necesario, no dude en acudir a una lengua conocida por sus alumnos, o solicitar la ayuda de otro alumno.

Indique también el objetivo de la actividad. Esto ayudará al alumno a focalizar su atención y evitará desorientaciones.

Las ilustraciones

Invite a sus alumnos a que observen con detenimiento las fotos y los dibujos de su libro. Comente con ellos qué personas aparecen, qué hacen y dónde están. Anímelos a preguntar o a buscar en el diccionario las palabras necesarias para describirlas. Si es necesario, escriba en la pizarra las palabras nuevas o que sus alumnos crean que merece la pena recordar.

Si aparecen personajes, pida también a sus alumnos que deduzcan o formulen conjeturas sobre lo que pueden estar diciendo o haciendo y por qué.

Los ejercicios de comprensión auditiva

Haga una breve presentación del diálogo y active el conocimiento previo que tengan sus alumnos. Puede anticipar el tema, la situación y los participantes que intervienen. Avance también el vocabulario nuevo que le parezca clave para resolver la actividad o que por otra razón considere destacable.

Si el ejercicio está acompañado de una imagen, recurra a ella para contextualizar la situación y presentar a los participantes que intervienen. En el caso de que prevea que para sus alumnos será excesivamente difícil comprender la información principal, acuda directamente al *Apéndice de transcripciones* para que lean y escuchen. No obstante, intente que apliquen estrategias de audición selectiva siempre que sea posible.

Interrumpa la audición para dar tiempo a sus alumnos para que anoten la información que solicita el ejercicio. Después, haga que comprueben sus respuestas en pequeños grupos. Verifique si sus respuestas son correctas y repita la audición, destacando la información que les resulte difícil de comprender.

Después de asegurarse de que sus alumnos han comprendido la información, puede hacer una última audición centrando su atención en la forma de la lengua oral, es decir, en la pronunciación. Una manera de practicarla de forma auditiva es hacer que al mismo tiempo escuchen y lean fijándose en cómo "suena" la lengua española. También puede pedirles que lean en voz alta, imitando lo más parecido posible las voces del audio.

Antes de hablar

Es conveniente recordar a los alumnos el lenguaje que previsiblemente usarán en la actividad. Puede ayudarles que usted escriba en la pizarra o proyecte en una transparencia un recordatorio del vocabulario o de las estructuras que puedan necesitar, para que puedan echar un vistazo cuando la necesiten en el transcurso de la interacción.

Mientras hablan

En las actividades de interacción en grupos circule entre sus alumnos, ofrézcase para aconsejar y aproveche para tener un contacto personalizado con ellos. Aclare las dudas y desacuerdos que puedan surgir cuando observe que por sí mismos no pueden resolverlos. Intervenga cuando se lo soliciten e interrúmpales sólo si lo estima estrictamente necesario.

Tome notas de las dificultades que surgen y que usted crea que vale la pena destacar ante toda la clase. Coméntelas después de finalizar la actividad.

Cuando sus alumnos no conozcan las palabras para expresar sus ideas, anímelos a que las pregunten, ayúdelos a construir significado y proporcióneles herramientas lingüísticas y estratégicas. El alumno de segundas lenguas necesita depositar su confianza en el interlocutor y reconocerlo como alguien que le va a ayudar a expresar sus ideas. El hecho de que un alumno no sepa cómo expresarse en español no debe implicar necesariamente su silencio si quiere transmitir una idea importante para él. Ayúdelos a formular sus preguntas o a responderlas en español.

Por otra parte, no rechace preguntas sobre contenidos que usted no haya presentado en clase todavía. Si a sus alumnos les interesa conocerlos, puede ser un buen motivo para dedicarles tiempo.

Después de hablar
Pregunte a sus alumnos sus impresiones sobre lo que han practicado y aprendido, las dificultades que han surgido, si opinan que han logrado el objetivo de la actividad o cómo se han sentido. También puede suministrar información complementaria de orden cultural, lingüístico o de procedimiento de trabajo relacionada con lo que acaban de practicar.

Si dispone de recursos técnicos, grabe intervenciones de sus alumnos en actividades de expresión oral. Después, invítelos a escucharse y a comentar las incidencias que hayan surgido en la comunicación, en la lengua, en la pronunciación, etc. Dirija la atención de sus alumnos hacia los elementos relevantes que se les puedan pasar por alto.

Corregir los errores
Antes de hacer una corrección, valore el objetivo de la actividad y el esfuerzo que le ha supuesto al alumno su producción lingüística. Asimismo, sea consciente de que el error a menudo es una consecuencia inherente al aprendizaje de una lengua, e incluso una manifestación natural de que el alumno está progresando en su aprendizaje. Corrija con tacto sólo lo que ellos sean capaces de comprender. Muéstrese constructivo y comprensivo en sus observaciones.

Puede indicar a sus alumnos que trabajen en pequeños grupos para poner en común sus respuestas en un ejercicio. Será una buena ocasión para la reflexión lingüística, pragmática o cultural sobre las respuestas, y su argumentación en español. Esta técnica también fomenta la cohesión del grupo y la autonomía del aprendizaje, ya que desplaza el centro de atención de la clase desde usted hacia los alumnos.

Promueva el intercambio de textos entre los alumnos para que lean y corrijan a los compañeros hasta donde su competencia lingüística les permita. Posteriormente, supervise las correcciones.

El diccionario
Los alumnos pueden acudir al diccionario bilingüe siempre que lo deseen. Suele ser el "traductor" que les merece más confianza para encontrar la palabra equivalente en su lengua materna o para verificar que ha entendido correctamente un significado. Favorezca que tengan acceso a un buen diccionario y que lo utilicen como una valiosa herramienta de ayuda.

Asimismo, haga que sean conscientes de que no deben acudir a él sistemáticamente para consultar todas las palabras que desconozcan, porque ralentiza el ritmo de las actividades. Demuéstreles que pueden acudir a otras estrategias, como preguntar a los compañeros, al profesor, deducir por el contexto, entender el sentido general del texto, entender con sinónimos, antónimos, mímica, explicaciones en español, etc.

La gramática
Explique a sus alumnos la conveniencia de que consulten la sección de *Recursos* y el *Apéndice gramatical* del *Libro del alumno* y las *Brújulas* del *Cuaderno de recursos y ejercicios* de forma autónoma cuantas veces estimen oportuno y en el momento que les parezca más apropiado. Puede ser antes de empezar una lección, antes de empezar una actividad, después de hacerla o como revisión final de la lección. De esta forma, favorecerá el desarrollo de su autonomía y la asunción de responsabilidades en su aprendizaje.

Organización de la clase

Las formas de organización de sus alumnos en el aula son básicamente tres, cada una con sus propias particularidades, ventajas y desventajas: el trabajo individual, la sesión plenaria y el trabajo en grupos.

En general, el trabajo individual suele ser más indicado para las actividades que requieran una reflexión y una ejercitación individual, como la lectura, la escritura y los ejercicios. En cuanto a la sesión plenaria, suele ser indicada para las puestas en común y la interacción cuando el grupo no es muy numeroso.

El trabajo en grupos también puede ser útil tanto para la escritura como para hacer ejercicios y correcciones. En general está indicado para cualquier tipo de actividad que promueva la interacción oral y el trabajo cooperativo.

La organización en grupos puede concretarse desde la pareja como unidad mínima, hasta un conjunto de unas ocho personas: las oportunidades para participar y la variedad de las intervenciones varían en cada caso. En general, cuando el *Libro del profesor* propone que organice la clase en pequeños grupos, se aconseja que sean de tres o cuatro personas. No obstante, decida con sus alumnos el tamaño y la composición de los grupos según la cantidad de estudiantes, su locuacidad, nivel de competencia lingüística y afinidades personales.

En ocasiones se le proponen actividades en parejas de vacío de información, en las que se suministra información distinta a cada alumno para que la intercambien de forma oral. En este caso, se denomina A y B a los alumnos y a las diferentes fotocopias que entregará a cada uno.

Intente que cooperen juntos siempre que sea posible. Promueva que los alumnos más avanzados proporcionen información y ayuden a los compañeros que progresen más lentamente o que se encuentren en un nivel más rezagado. Facilite el intercambio de información entre los alumnos siempre que lo estime conveniente. Asimismo, incentive que se expresen en español no sólo para resolver las actividades, sino para organizar el trabajo y negociar ideas.

Quizá sus alumnos no estén acostumbrados a hablar en español con sus compañeros y les cueste al principio. En ese caso, concienciélos de que la gran ventaja es usar el español de forma significativa. Hágales ver que trabajar en grupos favorece que los alumnos aprendan unos de otros, se expliquen sus ideas, escuchen y respeten las de los demás, negocien, tomen decisiones y se ayuden entre ellos. Hablarán en español para compartir opiniones, información, experiencias y amistad. En definitiva, trabajar juntos con un objetivo común.

Simulaciones

En las actividades de simulación se pide al alumno que represente un papel ficticio escenificando una situación de fuera del aula. El objetivo de estas actividades no se encuentra tanto en conseguir una representación de la situación real con la máxima autenticidad como en crear un escenario que permita al alumno poner en práctica el uso de la lengua y las estrategias necesarias para lograr el éxito comunicativo según la situación propuesta.

El Cuaderno de recursos y ejercicios

Sirve como refuerzo al *Libro del alumno* y, al mismo tiempo, ofrece nuevos elementos lingüísticos para que el alumno pueda ampliarlos.

Se organiza en 12 lecciones que se corresponden con las del *Libro del alumno*. Como pórtico a cada bloque de tres lecciones aparece una sección llamada *Brújula*, donde se anticipa una selección del vocabulario, de la gramática y de las estructuras comunicativas más importantes.

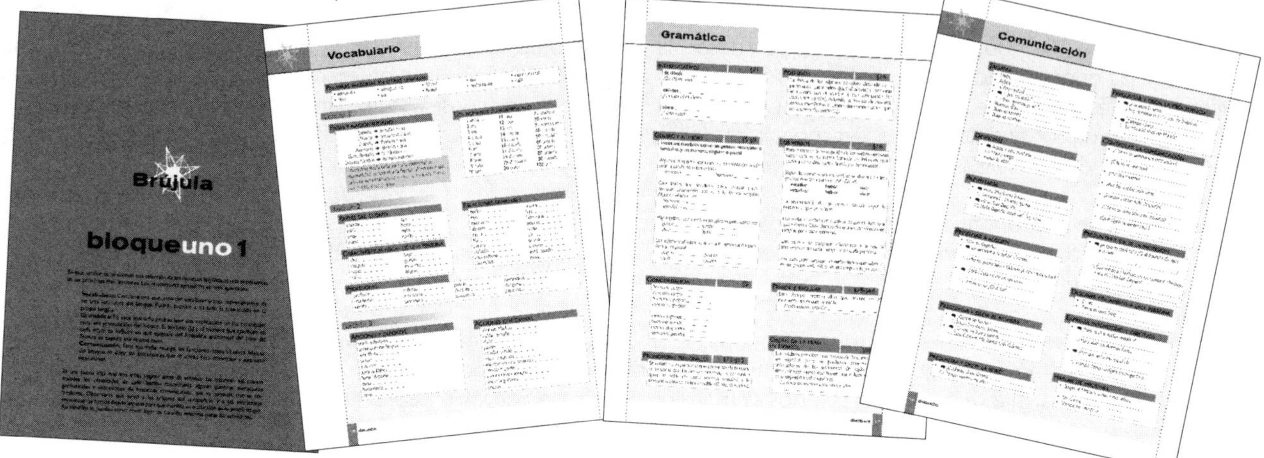

Al inicio de cada lección aparece un índice con el objetivo de las actividades y su número, para que usted y sus alumnos puedan decidir qué contenidos consideran que deben ejercitar y los puedan localizar con facilidad. Este índice tiene un nivel de detalle más explícito que el del *Libro del alumno*.

Los ejercicios están centrados en el sistema de la lengua para que el alumno refuerce y amplíe el vocabulario, la gramática, las estructuras, la ortografía, etc., con actividades centradas en la comprensión y la reflexión. Asimismo, al final de cada lección aparece una actividad de pronunciación.

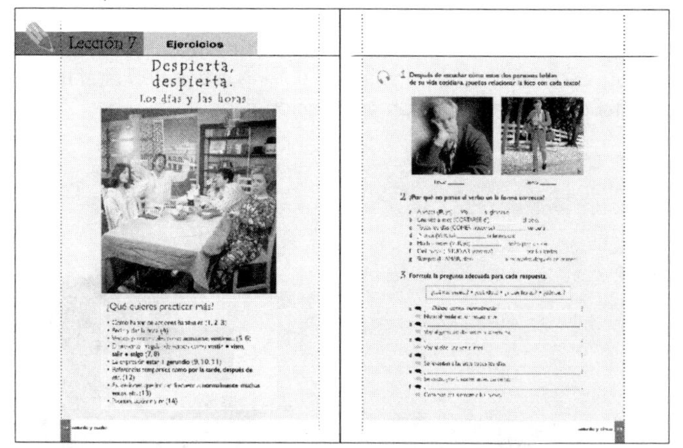

El cuaderno contiene además un *Apéndice de transcripciones*, un *Apéndice de soluciones*, un *Apéndice léxico* con el vocabulario fundamental del nivel y una útil *Tabla de objetivos* para seleccionar los ejercicios del cuaderno según el objetivo.

El *Cuaderno de recursos y ejercicios* en el aula

Puede usar el *Cuaderno de recursos y ejercicios* en clase de forma paralela al *Libro del alumno*, como refuerzo o ampliación, o bien recomendar su trabajo fuera del tiempo de clase y corregir las actividades en el aula en la sesión siguiente.

Los vídeos

Los vídeos son un atractivo material complementario que hace hincapié en la comprensión auditiva y en la información cultural, al tiempo que favorece la inmersión lingüística. Presentan la estructura de un programa de televisión que permite que el alumno se identifique con personajes e historias de la vida cotidiana. Se ofrecen acompañados de una *Guía didáctica*.

Cada nivel consta de dos vídeos, con un total de 13 capítulos por nivel. Estos capítulos responden a tres tipologías distintas:

- El *capítulo de presentación*, que da una visión general del nivel.
- Los *capítulos de avance*, que presentan los contenidos del curso; son ocho en total.
- Los *capítulos de refuerzo*, estructurados en actividades donde se revisan fragmentos de la serie y contenidos lingüísticos. Son cuatro y aparecen cada dos vídeos de avance.

Un bloque del *Libro del alumno* (tres lecciones) se corresponde con dos capítulos de avance y un capítulo de refuerzo según el esquema siguiente:

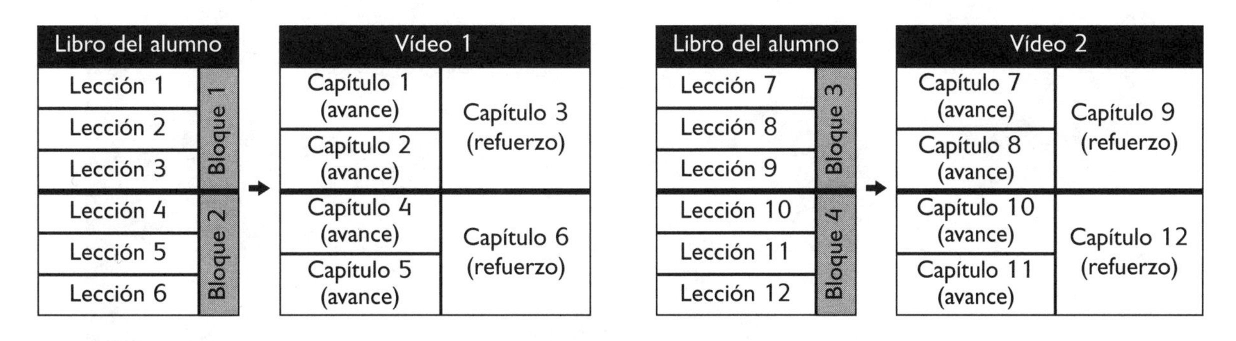

Libro del alumno		Vídeo 1	
Lección 1	Bloque 1	Capítulo 1 (avance)	Capítulo 3 (refuerzo)
Lección 2		Capítulo 2 (avance)	
Lección 3			
Lección 4	Bloque 2	Capítulo 4 (avance)	Capítulo 6 (refuerzo)
Lección 5		Capítulo 5 (avance)	
Lección 6			

Libro del alumno		Vídeo 2	
Lección 7	Bloque 3	Capítulo 7 (avance)	Capítulo 9 (refuerzo)
Lección 8		Capítulo 8 (avance)	
Lección 9			
Lección 10	Bloque 4	Capítulo 10 (avance)	Capítulo 12 (refuerzo)
Lección 11		Capítulo 11 (avance)	
Lección 12			

Los *capítulos de avance* se estructuran en tres partes. La primera presenta el desarrollo argumental de una serie televisiva en formato de *sit-com* titulada *¡Acción!* La segunda ofrece destacados lingüísticos de los diálogos de la serie para su explotación didáctica. La tercera parte, por último, muestra un reportaje sobre aspectos de la vida cotidiana o cultural hispana, al tiempo que insiste en algunos contenidos lingüísticos de la lección.

Los *capítulos de refuerzo* se estructuran igualmente en tres partes. La primera presenta un resumen argumental de la serie. La segunda ofrece juegos de reflexión lingüística, y la tercera parte contiene destacados lingüísticos con una revisión de algunos contenidos lingüísticos de los dos reportajes anteriores.

Todas las intervenciones, tanto de la serie como de los reportajes, están subtituladas en español para facilitar su comprensión y seguimiento.

La serie *¡Acción!* trata de un grupo de jóvenes que comparten piso y estudian en una escuela de teatro. Juntos deciden montar su propia compañía teatral. Los personajes principales son cuatro, cada uno con una personalidad muy definida: Begoña y Lola son españolas; Julián es mexicano y presenta una variante del español de América desprovista de marcas dialectales léxicas o sintácticas, y por último Andrew, un chico norteamericano que sabe bastante español y que representa un papel con el que se puede identificar el alumno. Están acompañados de personajes adultos: Toni, el director de teatro; Ana, la dueña de la pensión, y Lázaro, un operario de arreglos caseros. Todos los personajes, además de su función dramática en la serie, desempeñan una función lingüística dentro del sistema.

En los libros y en los CD-ROM aparecen fragmentos de la comedia de situación y del reportaje como actividades de comprensión auditiva. También aparecen los personajes acompañando al alumno en su aprendizaje.

Los otros soportes del curso

Los vídeos en el aula

La sección de destacados lingüísticos presenta una pantalla dividida en tres ventanas.

(a) A la izquierda se destaca un contenido funcional o gramatical.

(b) En el centro se puede ver de nuevo el fragmento de la serie donde se utiliza el exponente señalado.

(c) En la parte inferior aparece la transcripción del fragmento representado en la pantalla del centro.

Recuerde que los capítulos de la serie de televisión tienen una progresión argumental, en la que se van modificando las relaciones entre los distintos personajes. Si va a mostrar los capítulos espaciados en el tiempo, será una buena idea que usted contextualice el capítulo que se disponen a ver haciendo una síntesis de lo que ya ha sucedido en episodios anteriores.

Destaque la información visual que ofrece el vídeo, invitando a sus alumnos a que se fijen en el lenguaje no verbal, la gestualidad, las miradas y los movimientos de los personajes para facilitar la comprensión de la situación.

Recuerde que la lengua empleada en el vídeo es muy viva y natural. Por ello, la cantidad de información que deben entender sus alumnos dependerá de las características concretas de su grupo y de sus objetivos.

Establezca una relación entre los recursos lingüísticos que han practicado en la lección en que se encuentra y las correspondientes muestras de lengua que aparecen en los diálogos y juegos de los capítulos.

Después de visionar las distintas partes de un capítulo, asegúrese de que sus alumnos han comprendido los hechos básicos que se han desarrollado.

En los capítulos de refuerzo, anime a sus alumnos a que realicen los juegos. Para ello, puede congelar la imagen e invitarles a formular respuestas y reanudar el visionado para comprobarlas.

Los CD-ROM

Los CD-ROM son un complemento de los libros y refuerzan el aprendizaje de forma autónoma al multiplicar el número de actividades. No obstante, también se pueden utilizar como soporte único.

Todos los niveles del curso constan de dos CD-ROM, cada uno de los cuales se corresponde con seis lecciones del *Libro del alumno*. Por tanto, el curso completo en los tres niveles se compone de seis CD-ROM.

La especificidad de los CD-ROM consiste en ser un dispositivo interactivo e individualizado de evaluación y control rápido de las actividades. Permiten una corrección fácil y rápida de los ejercicios.

Contienen actividades para practicar la comprensión escrita y auditiva, el léxico y la gramática e incorporan ejercicios de pronunciación propios de este soporte. Estas actividades permiten grabar la voz del alumno imitando un modelo, escucharse posteriormente y comparar con el modelo propuesto.

Cada lección de los CD-ROM ofrece 52 ejercicios que se administran en dos itinerarios. El primero presenta la forma inicial de abordar una lección. Contiene 24 ejercicios y 2 ejercicios más de evaluación. El segundo itinerario está integrado por otros 24 ejercicios y 2 de evaluación nuevos, a los que sólo accederá el alumno en caso de que no haya cumplido satisfactoriamente los objetivos de la lección en el primer itinerario.

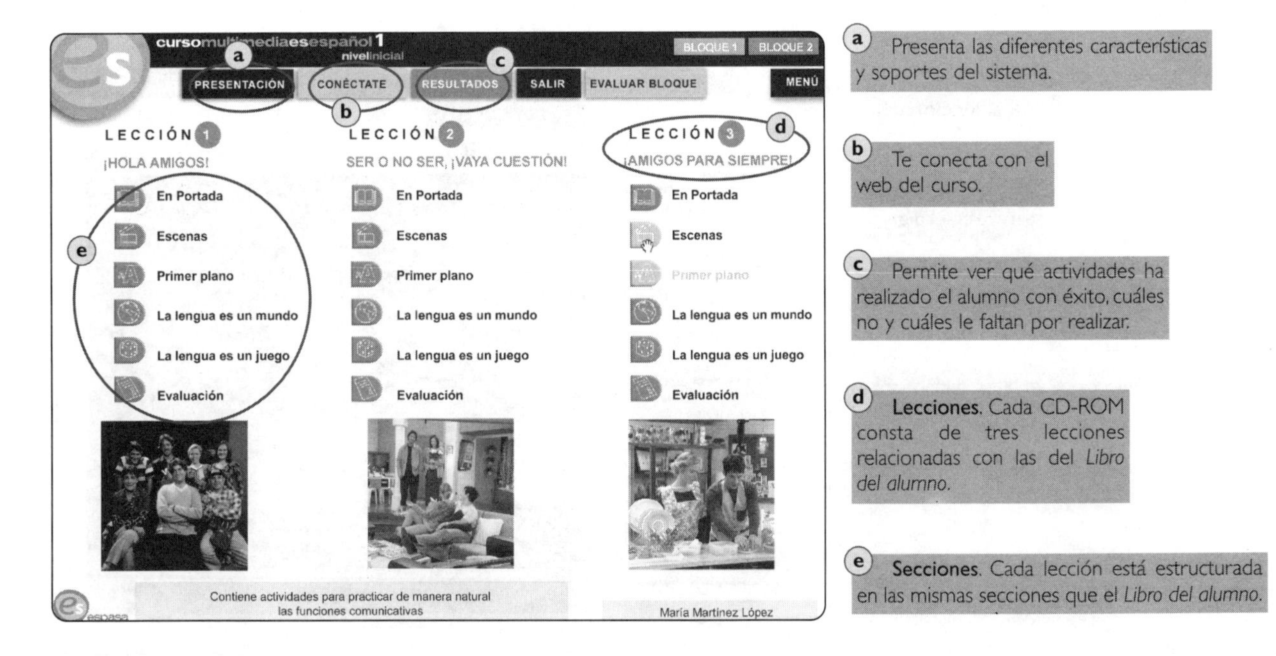

Los otros soportes del curso

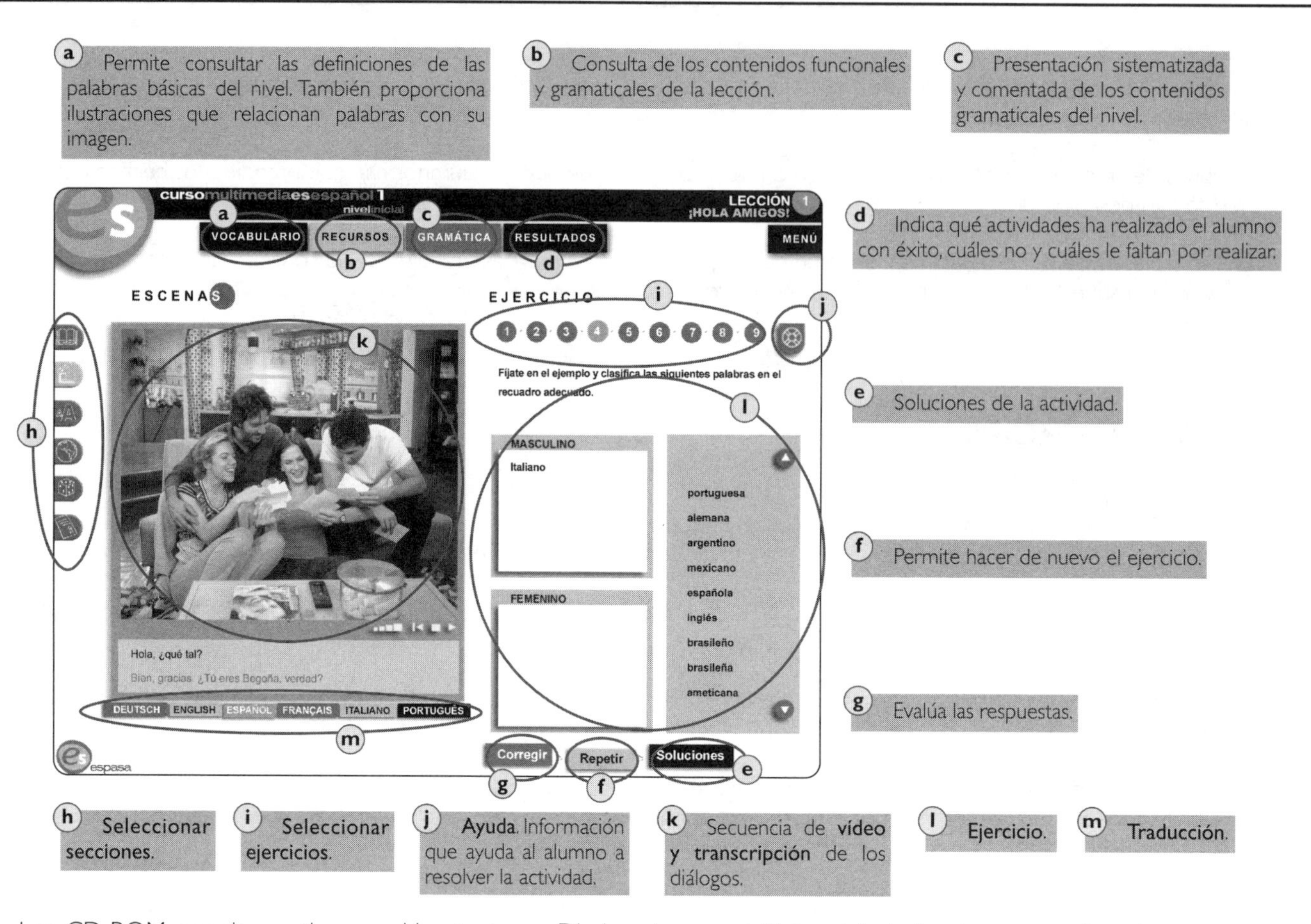

a Permite consultar las definiciones de las palabras básicas del nivel. También proporciona ilustraciones que relacionan palabras con su imagen.

b Consulta de los contenidos funcionales y gramaticales de la lección.

c Presentación sistematizada y comentada de los contenidos gramaticales del nivel.

d Indica qué actividades ha realizado el alumno con éxito, cuáles no y cuáles le faltan por realizar.

e Soluciones de la actividad.

f Permite hacer de nuevo el ejercicio.

g Evalúa las respuestas.

h Seleccionar secciones.

i Seleccionar ejercicios.

j **Ayuda.** Información que ayuda al alumno a resolver la actividad.

k **Secuencia** de **vídeo y transcripción** de los diálogos.

l Ejercicio.

m Traducción.

Los CD-ROM permiten activar por hipertexto un Diccionario con el léxico del nivel, y hacer consultas de aspectos gramaticales y funcionales. Ambos dispositivos de consulta se ofrecen en formato multilingüe: español, inglés, portugués, francés, alemán e italiano. También incluyen imágenes interactivas en las que se activan objetos con el ratón y se puede visualizar la palabra escrita.

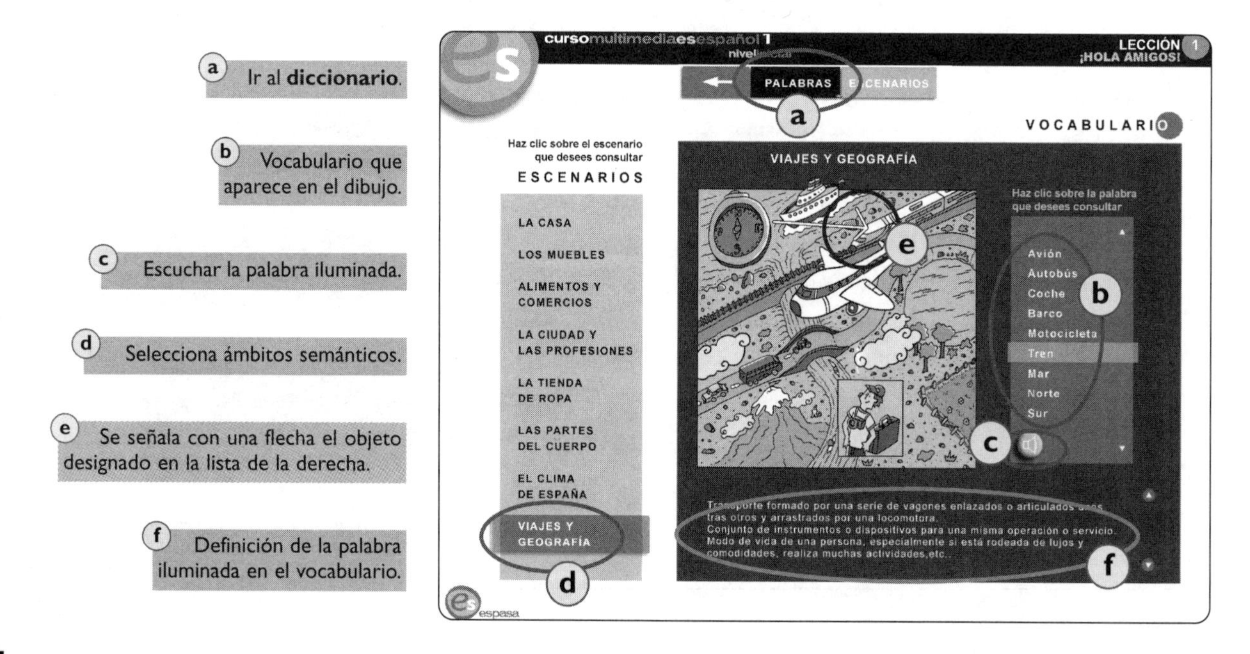

a Ir al **diccionario**.

b Vocabulario que aparece en el dibujo.

c Escuchar la palabra iluminada.

d Selecciona ámbitos semánticos.

e Se señala con una flecha el objeto designado en la lista de la derecha.

f Definición de la palabra iluminada en el vocabulario.

El CD-ROM en el aula

Si sus alumnos disponen de los CD-ROM en el centro de enseñanza, puede hacer un seguimiento personalizado, ya que informa, en el botón *Resultados*, de las actividades que cada alumno ha realizado de forma satisfactoria o insatisfactoria y de aquellas que no ha realizado.

Internet

Internet ofrece actividades complementarias al resto de soportes, como *chats* y foros de discusión. También ofrece un servicio personalizado para acceder a la realidad del español en el mundo y secciones renovadas periódicamente.

El sitio web cuenta con un espacio diferenciado para alumnos y para profesores. En la zona para alumnos se encuentra una escuela virtual que ofrece numerosos servicios, como cursos con distintos niveles y fines, foros de encuentro entre estudiantes para que practiquen el español, lecturas, obras de referencia y consulta, enciclopedias, gramática, diccionarios, noticias, etc.

En la zona para profesores encontrará una revista para todos los que se dedican a la enseñanza del español, un foro para el encuentro de profesores, así como ideas de actividades para llevar al aula, entre otros servicios.

Invite a sus alumnos a que accedan al portal y anímese usted mismo a visitarlo. Está concebido como lugar de encuentros para todos los sienten curiosidad, interés y pasión por la lengua y la cultura hispanas:

http://www.esespasa.com

1

lecciónuno1

¡Hola, amigos!

Lección 1 **En portada**

Te presentamos a Andrew, Julián, Begoña y Lola. Ellos son tus nuevos amigos. Sigue sus aventuras. ¡Aprende español con ellos!

¡Hola, amigos!

18 dieciocho

En esta lección vas a aprender:

- Saludos y despedidas
- A presentarte tú y cómo presentar a una persona
- A preguntar el nombre, la nacionalidad y la edad
- A deletrear

1 **¿Puedes leer la ficha de Andrew?**
Completa la que está en blanco con tus datos personales.

FICHA DE INSCRIPCIÓN

DATOS PERSONALES

NOMBRE: *Andrew*
APELLIDOS: *White*
FECHA DE NACIMIENTO: *05-12-73*
N.º PASAPORTE: *380.108.859*
DIRECCIÓN: *Lane Road 67b NW2 (Los Angeles)*
TELÉFONO: *0181456457*
PAÍS: *U.S.A*
Firma:

FICHA DE INSCRIPCIÓN

DATOS PERSONALES

NOMBRE: ____________
APELLIDOS: ____________
FECHA DE NACIMIENTO: ____________
N.º PASAPORTE: ____________
DIRECCIÓN: ____________
TELÉFONO: ____________
PAÍS: ____________
Firma: ____________

Aquí tienes la dirección de nuestro sitio web: www.esespasa.com

Ahora puedes completar la ficha de inscripción en nuestro web y entrar en nuestra Comunidad Virtual de español.

diecinueve 19

OBJETIVOS

Los objetivos de la lección son:

- Establecer un primer contacto del alumno con el español.
- Activar el conocimiento previo que el alumno tiene de la lengua y la cultura españolas.
- Proporcionar al alumno los recursos más frecuentes para saludar, despedirse, presentarse a sí mismo, presentar a alguién y reaccionar al ser presentado.
- Conocer el alfabeto y las características básicas de la relación entre grafía y sonido.
- Intercambiar información personal sobre el nombre, la edad, la nacionalidad y el teléfono.
- Conocer los números hasta 100.
- Conocer información básica sobre la difusión de la lengua española en el mundo.

En esta lección se presentan los verbos *ser, tener, vivir* conjugados en las tres primeras personas.

Se presentan los números de 0 hasta 100 porque es el rango de cifras normal para referirse a la edad.

En portada 1

1. Los alumnos observan la información que aparece en la ficha completa. Así pueden entender el significado de *nombre, apellidos, fecha de nacimiento, dirección, país*. Las palabras *teléfono* y *pasaporte* son muy parecidas en la mayoría de las lenguas. Posteriormente, completan la ficha de inscripción.

Tenga en cuenta que no es necesario que los datos sean reales, los alumnos pueden inventar un personaje o adoptar la personalidad de uno famoso.

Actividades alternativas

A. Pregunte a los alumnos qué palabras del español conocen. Puede acudir a las actividades 1 y 2 del libro de ejercicios. Demuéstreles que ya saben algo de español preguntándoles qué palabras entienden. Pídales que comparen las palabras de la actividad con su lengua materna, fijando la atención en la grafía y en la pronunciación. Hágales observar que hay una gran cantidad de palabras compartidas por muchas lenguas. Pídales que hagan una lista de palabras que ya conocen en español. Después haga que entre compañeros comparen sus listas y anoten las palabras que quieran recordar.

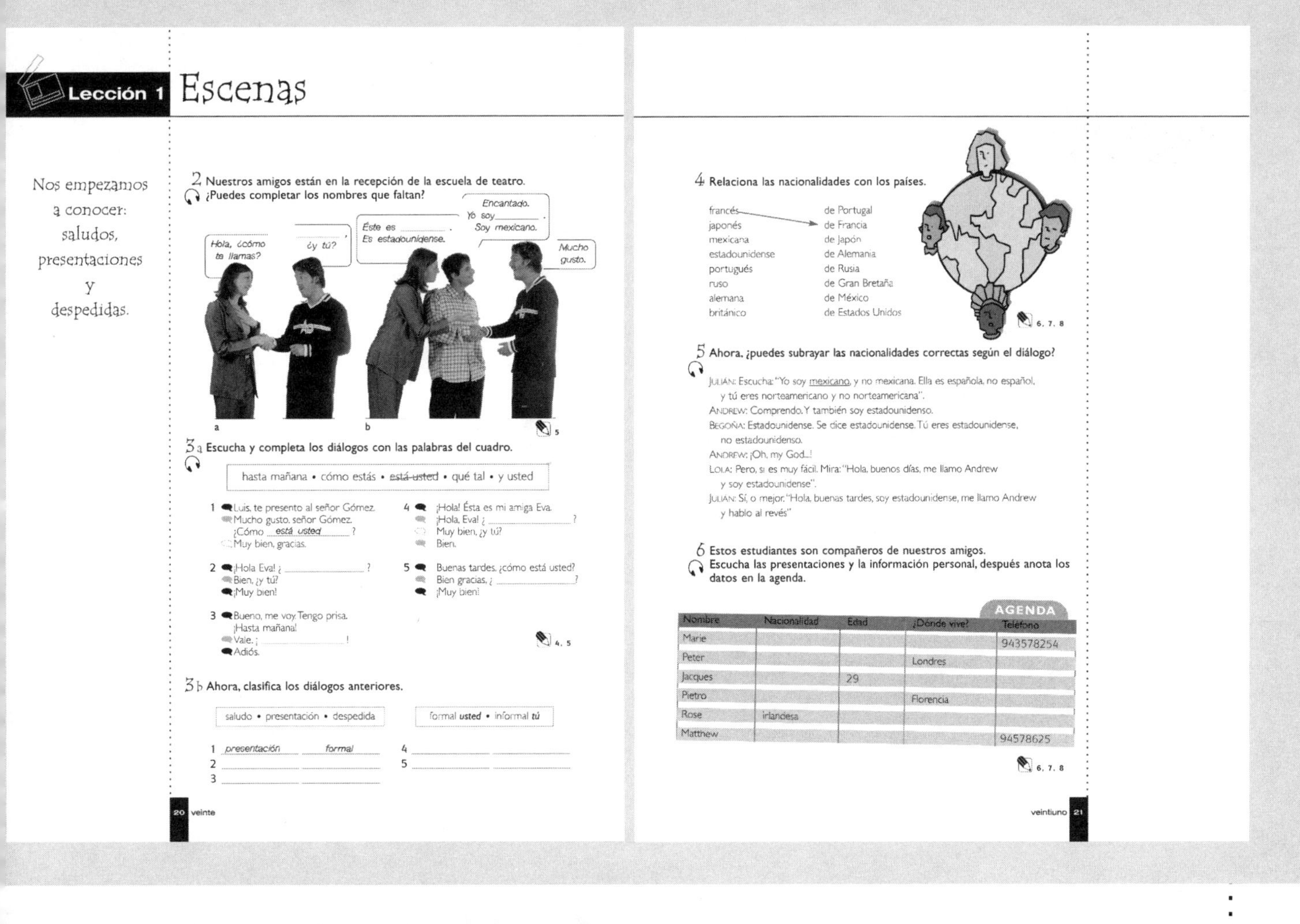

Lección 1 Escenas

Nos empezamos a conocer: saludos, presentaciones y despedidas.

2 Nuestros amigos están en la recepción de la escuela de teatro. ¿Puedes completar los nombres que faltan?

Hola, ¿cómo te llamas?

........................, ¿y tú?

Éste es .... Es estadounidense.

Encantado. Yo soy .... Soy mexicano.

Mucho gusto.

a

b

5

3 a Escucha y completa los diálogos con las palabras del cuadro.

hasta mañana • cómo estás • ~~está usted~~ • qué tal • y usted

1 Luis, te presento al señor Gómez.
Mucho gusto, señor Gómez. ¿Cómo *está usted* ?
Muy bien, gracias.

2 ¡Hola Eva! ¿ .... ?
Bien, ¿y tú?
¡Muy bien!

3 Bueno, me voy. Tengo prisa. ¡Hasta mañana!
Vale. ¡ .... !
Adiós.

4 ¡Hola! Ésta es mi amiga Eva.
¡Hola, Eva! ¿ .... ?
Muy bien, ¿y tú?
Bien.

5 Buenas tardes, ¿cómo está usted?
Bien gracias, ¿ .... ?
¡Muy bien!

4, 5

3 b Ahora, clasifica los diálogos anteriores.

saludo • presentación • despedida

formal *usted* • informal *tú*

1 *presentación* *formal*
2 ....
3 ....
4 ....
5 ....

20 veinte

4 Relaciona las nacionalidades con los países.

francés	de Portugal
japonés	de Francia
mexicana	de Japón
estadounidense	de Alemania
portugués	de Rusia
ruso	de Gran Bretaña
alemana	de México
británico	de Estados Unidos

6, 7, 8

5 Ahora, ¿puedes subrayar las nacionalidades correctas según el diálogo?

JULIÁN: Escucha: "Yo soy mexicano, y no mexicana. Ella es española, no español, y tú eres norteamericano y no norteamericana".
ANDREW: Comprendo. Y también soy estadounidenso.
BEGOÑA: Estadounidense. Se dice estadounidense. Tú eres estadounidense, no estadounidenso.
ANDREW: ¡Oh, my God...!
LOLA: Pero, si es muy fácil. Mira: "Hola, buenos días, me llamo Andrew y soy estadounidense".
JULIÁN: Sí, o mejor. "Hola, buenas tardes, soy estadounidense, me llamo Andrew y hablo al revés"

6 Estos estudiantes son compañeros de nuestros amigos. Escucha las presentaciones y la información personal, después anota los datos en la agenda.

AGENDA

Nombre	Nacionalidad	Edad	¿Dónde vive?	Teléfono
Marie				943578254
Peter			Londres	
Jacques		29		
Pietro			Florencia	
Rose	irlandesa			
Matthew				94578625

6, 7, 8

veintiuno 21

1 Escenas

2, 3. Explique que las personas de la fotografía se saludan y se presentan. Destaque las diferencias de tratamiento entre *tú* y *usted* usando las palabras *informal* o *formal*. Muestre que cada una está asociada a una forma verbal distinta.

4. Comente que *francés, japonés, portugués, ruso* y *británico* aparecen en masculino. Puede pedirles que transformen las masculinas en femeninas y viceversa: *francesa, japonesa, mexicano, portuguesa, rusa, alemán* y *británica*. *Estadounidense* no cambia.

5. Aclare, si es necesario, que las nacionalidades incorrectas se refieren a la situación, pero que gramaticalmente son correctas *mexicana, español, norteamericana*. Advierta asimismo que *estadounidenso* es agramatical. Observe la doble posibilidad *estadounidense* y *norteamericano*, según el nombre del país al que hagamos alusión: *Estados Unidos* o *Norteamérica*.

6. Indique que la pregunta *¿Dónde vives?* suele referirse a la ciudad, en el caso de los extranjeros, y a la calle, cuando el interlocutor conoce o da por supuesta la ciudad de residencia de la otra persona.

Actividades alternativas

B. Pida a los alumnos que en grupos simulen presentaciones formales e informales entre ellos. Primero puede ejemplificar una demostración ante toda la clase.

C. Haga que sus alumnos se pregunten su nacionalidad: *Yo soy de (país), ¿y tú?* Después puede repetir la actividad con la estructura: *Yo soy (nacionalidad)*. Puede anotar en la pizarra la nacionalidad y el nombre del país correspondiente. Posteriormente, los alumnos relacionan cada país con la nacionalidad. Si en su clase hay dos alumnos de la misma nacionalidad pero de diferente sexo, aproveche para destacar la concordancia de género y número: *Ella es alemana y él es alemán. (Ellos) Son alemanes.*

D. Anime a los alumnos a que se intercambien datos de información personal utilizando una plantilla como la de la actividad. Recuérdeles antes las estructuras *¿Dónde vives?, ¿De dónde eres?, ¿Cuántos años tienes?, ¿Cómo te llamas?, ¿Cuál es tu número de teléfono?* También pueden intercambiarse la dirección de correo electrónico, para lo que suele ser necesario deletrear. Si su grupo aprende rápido, los alumnos pueden añadir otros datos que deseen conocer de sus compañeros. Los alumnos que se muestren reticentes a compartir información personal pueden aportar datos ficticios. Esta actividad servirá para establecer vínculos entre los alumnos y cohesionar el grupo.

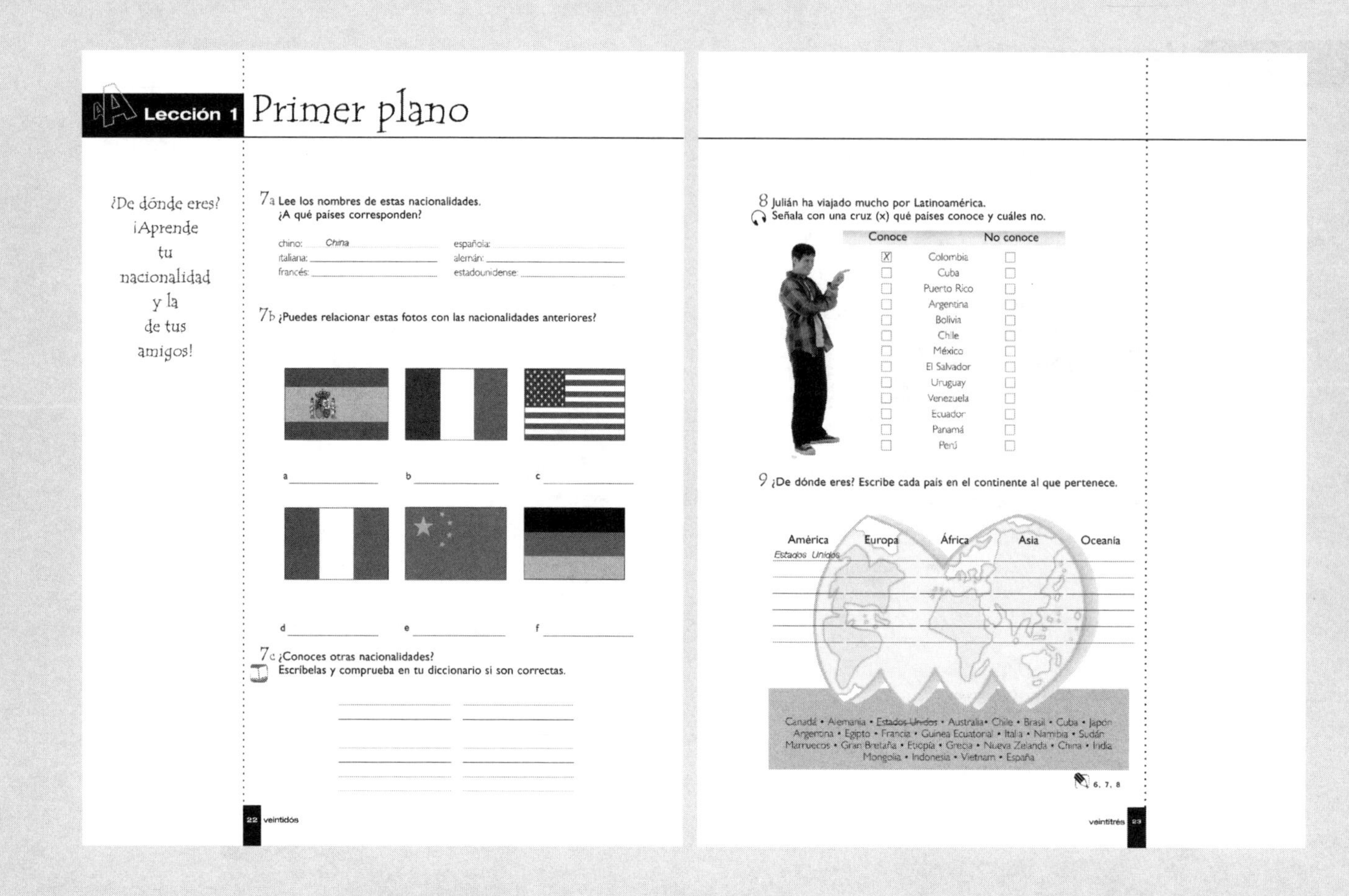

Aprende a deletrear tu nombre. ¿Veintinueve letras son suficientes?

10a Escucha cómo se llaman las letras del alfabeto español.

A	Be	Ce	Che	De
E	eFe	Ge	Hache	I
Jota	Ka	eLe	eLLe	eMe
eNe	eÑe	O	Pe	Q cu
eRre	eSe	Te	U	uVe
W doble uve		X equis	Y i griega	Zeta

10b Ahora seguro que puedes deletrear tu nombre.
Observa antes cómo lo hace Begoña.

Be - e - ge - o - eñe - a.

Ahora hazlo tú: ....

9

11 Ahora que conoces las letras, marca la palabra que escuchas.

1 sola ☐ hola ☒ bola ☐
2 caro ☐ carro ☐ barro ☐
3 rota ☐ jota ☐ bota ☐
4 Roma ☐ coma ☐ cosa ☐
5 lente ☐ gente ☐ veinte ☐
6 coche ☐ coge ☐ cose ☐
7 cara ☐ casa ☐ cama ☐
8 hora ☐ Lola ☐ hola ☐
9 aro ☐ año ☐ hago ☐

12 Ahora, escucha y completa las palabras con las letras que faltan:

1 _gente 3 ___ombre 5 espa___ol 7 ___uso
2 ___etras 4 fá___il 6 ___onido 8 ___einte

9

13 ¿Puedes completar el cuadro con la información de los altavoces?

Vuelo	Destino	Embarque	Puerta
AO475			
		09.20	5
LA171	LEÓN	17.05	

14 ¿Cuántos años tienen estas personas? Busca la edad apropiada para cada persona.

veinticinco • treinta y tres • cincuenta • ochenta
cinco • diez • dieciocho • ~~ocho meses~~

a ocho meses
b
c
d
e
f
g
h

14

8. Indique que el objetivo no es entender toda la audición, sino sólo la información necesaria para realizar la actividad. En este caso, reconocer nombres de países.

Explique antes a sus alumnos el significado de *conocer, conozco, no conozco un país,* sin entrar en detalles de la conjugación irregular del verbo *conocer.* Destaque la pronunciación en español de los nombres de los países y haga que reflexionen sobre las diferencias respecto a su lengua materna. Como preaudición, puede solicitar a los alumnos que digan en voz alta el nombre de los países mencionados en la actividad, y contrástela con una pronunciación estándar en español. Pregunte a los alumnos si saben qué tienen en común todos estos países.

Le puede ser de utilidad llevar a clase una transparencia de un mapa mudo de Latinoamérica para completarlo con la ayuda de los alumnos.

Anime a sus alumnos a que comenten entre ellos los países que conocen: p. ej.: *¿Conoces Cuba? No, no conozco Cuba. Conozco México.*

10, 11, 12. Estas actividades son un primer contacto con la pronunciación. Indique que *ñ* es una letra que sólo existe en la lengua española; *h* no tiene sonido, *v* suena igual que *b*; *ll* tiene un sonido propio; *gu* y *ga* suenan igual; *r* tiene dos sonidos en *Rodríguez* y *García*; *c* tiene un sonido propio en gran parte de España; y *j* tiene en casi toda España un sonido fuerte diferente al de Hispanoamérica.

Puede ampliar la actividad aportando palabras que ya conozcan en las que aparezcan los mismos sonidos. También puede preguntar a los alumnos si estas letras existen en su idioma y si tienen un sonido diferente en español.

El deletreo en español es menos frecuente que en otras lenguas, dada la proximidad entre la pronunciación y la ortografía. No obstante, es un recurso normal para escribir palabras desconocidas o para solventar dudas de ortografía *¿Con hache o sin hache?, ¿Con ge o con jota?,* etc.

13. Puede hacer varias audiciones selectivas organizando en grupos a sus alumnos para que se concentren en una parte de la información. Por ejemplo, un grupo se concentra sólo en el *número de vuelo*, mientras otro grupo se concentra en el *destino*, etc.

14. Destaque que a partir de treinta y uno, los números se escriben separados por la letra *y*.

Actividades alternativas

E. Organice la clase en pequeños grupos y pida a los alumnos que deletreen al resto del grupo su nombre y apellido para que lo escriban.

Después, los alumnos tienen que preguntarse el número de letras del nombre y del apellido para descubrir cuál es el nombre más largo y el apellido más corto de la clase: *El nombre con más letras es..., El apellido con menos letras es...*

F. Invite a los alumnos a pensar en personajes muy famosos de diversas nacionalidades para que descubran y expresen en español su nacionalidad. Usted también puede proponer los nombres de los personajes.

G. Puede llevar a clase fotos de algunas personas de distintas edades, mejor si son conocidas. Enséñelas a la clase para que digan la edad que creen que tienen los personajes de las fotos: el que se aproxime más, gana.

H. Sus alumnos pueden jugar a adivinar la edad de los compañeros. Pueden usar las formas *Tiene* ***veinticinco*** *años más o menos*, o *Tiene unos* ***veinticinco*** *años*. Para confirmar la edad pueden preguntarse: *¿Cuántos años tienes? Tengo* ***diecinueve*** *años.*

Una forma de comprobar la correcta realización de este ejercicio es preguntar en una lengua conocida por sus alumnos: *¿Quién es el mayor de la clase?, ¿Quién es el más joven?, ¿Cuál es la media de edad de la clase?,* etc.

I. Puede preparar un juego de memoria con nombres de países y nacionalidades. Necesita unas quince tarjetas con nombres de países y quince más con los de su nacionalidad. Se barajan y se colocan con los nombres hacia abajo. Por turnos, cada alumno levanta dos tarjetas y dice en voz alta los nombres que aparecen. Si forman pareja, quedan en el mismo sitio con la cara hacia arriba, y si no lo son, coloca las tarjetas hacia abajo en el mismo lugar en que se encontraban. Gana el alumno o pareja de alumnos que haya tenido más memoria para descubrir parejas de palabras.

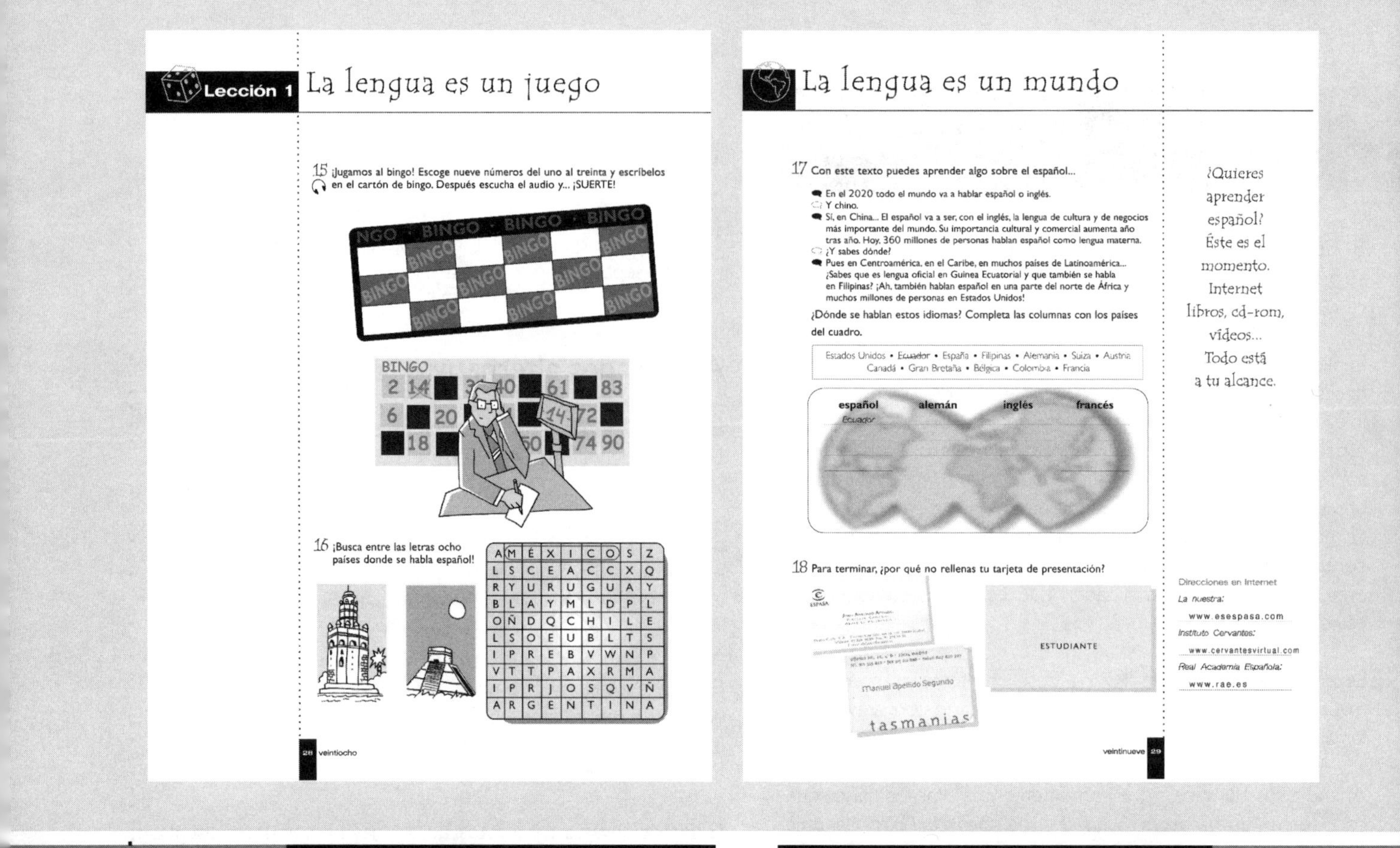

Lección 1 La lengua es un juego

15 ¡Jugamos al bingo! Escoge nueve números del uno al treinta y escríbelos en el cartón de bingo. Después escucha el audio y... ¡SUERTE!

16 ¡Busca entre las letras ocho países donde se habla español!

A	M	É	X	I	C	O	S	Z
L	S	C	E	A	C	C	X	Q
R	Y	U	R	U	G	U	A	Y
B	L	A	Y	M	L	D	P	L
O	Ñ	D	Q	C	H	I	L	E
L	S	O	E	U	B	L	T	S
I	P	R	E	B	V	W	N	P
V	T	T	P	A	X	R	M	A
I	P	R	J	O	S	Q	V	Ñ
A	R	G	E	N	T	I	N	A

28 veintiocho

La lengua es un mundo

17 Con este texto puedes aprender algo sobre el español...

- En el 2020 todo el mundo va a hablar español o inglés.
- Y chino.
- Sí, en China... El español va a ser, con el inglés, la lengua de cultura y de negocios más importante del mundo. Su importancia cultural y comercial aumenta año tras año. Hoy, 360 millones de personas hablan español como lengua materna.
- ¿Y sabes dónde?
- Pues en Centroamérica, en el Caribe, en muchos países de Latinoamérica... ¿Sabes que es lengua oficial en Guinea Ecuatorial y que también se habla en Filipinas? ¡Ah, también hablan español en una parte del norte de África y muchos millones de personas en Estados Unidos!

¿Dónde se hablan estos idiomas? Completa las columnas con los países del cuadro.

Estados Unidos • Ecuador • España • Filipinas • Alemania • Suiza • Austria
Canadá • Gran Bretaña • Bélgica • Colombia • Francia

español	alemán	inglés	francés
Ecuador			

18 Para terminar, ¿por qué no rellenas tu tarjeta de presentación?

¿Quieres aprender español? Éste es el momento. Internet libros, cd-rom, vídeos... Todo está a tu alcance.

Direcciones en Internet
La nuestra: www.esespasa.com
Instituto Cervantes: www.cervantesvirtual.com
Real Academia Española: www.rae.es

veintinueve 29

15. El funcionamiento del juego del bingo suele ser conocido internacionalmente. Si quiere practicarlo en clase de forma más completa, pida a sus alumnos que escriban en los cuadros en blanco un número del 1 al 100.

Usted puede leer al azar una lista de números del 1 al 100 acordándose de marcar los números que dice para no repetirlos y para comprobar que el bingo que canten los alumnos sea correcto. También puede usar las bolas de un juguete de bingo, o papeles barajados.

Puede decir usted mismo los números, o bien solicitar que un alumno se ofrezca como voluntario o seleccionarlo para que él diga los números.

Actividades alternativas

J. Los alumnos pueden jugar al ahorcado con algunas de la palabras vistas hasta el momento: nacionalidades, países, ciudades, saludos, despedidas, alfabeto, etc. Indique a sus alumnos que sean ellos los que seleccionen el vocabulario y salgan a la pizarra para dirigir el juego, anotar las letras que se dicen y dibujar los componentes de la horca, y dar correlativamente un turno a cada compañero para que diga sólo una letra.

17. Destaque la importancia de la lengua española en el mundo en cuanto al número de hablantes nativos, así como de países en que es lengua oficial. Asimismo, puede indicar su creciente importancia en el mundo de los negocios.

Puede preguntar a los alumnos si su lengua se habla en países distintos al suyo y de ser así, en cuáles. Así, los alumnos pueden tomar conciencia de la gran variedad de lenguas que existe en el mundo y desarrollar curiosidad respecto a la lengua y la cultura de sus compañeros para constatar que todos hablan lenguas diferentes pero que pueden llegar a entenderse.

También puede indicar que en España coexisten cuatro lenguas oficiales: el español en todo el país, y el gallego, el euskera y el catalán hablados, respectivamente, en las Comunidades Autónomas de Galicia, País Vasco, Islas Baleares, Cataluña y Comunidad Valenciana.

2

leccióndos2

Ser o no ser, ¡vaya cuestión!

Lección 2 En portada

¿A qué te dedicas? Nuestros amigos son estudiantes de teatro. ¿Sabes describir a Lola o a Andrew? No te preocupes, te vamos a enseñar.

Ser o no ser, ¡vaya cuestión!

32 treinta y dos

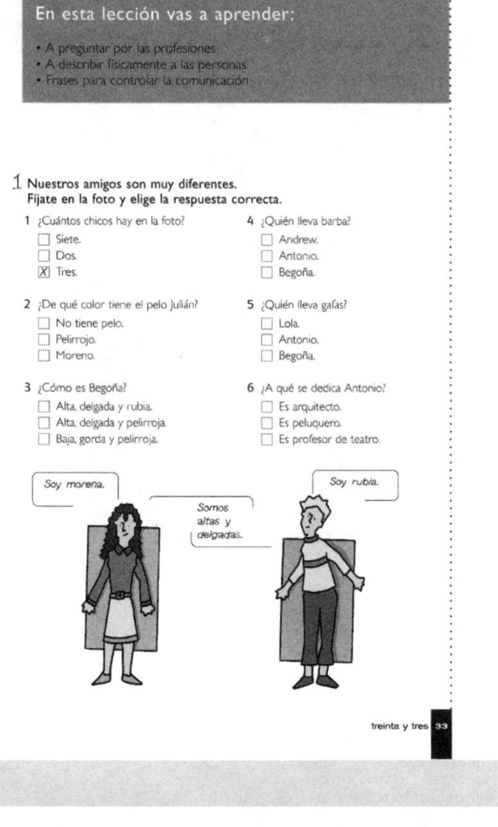

En esta lección vas a aprender:

- A preguntar por las profesiones
- A describir físicamente a las personas
- Frases para controlar la comunicación

1 **Nuestros amigos son muy diferentes. Fíjate en la foto y elige la respuesta correcta.**

1 ¿Cuántos chicos hay en la foto?
- [ ] Siete.
- [ ] Dos.
- [X] Tres.

2 ¿De qué color tiene el pelo Julián?
- [ ] No tiene pelo.
- [ ] Pelirrojo.
- [ ] Moreno.

3 ¿Cómo es Begoña?
- [ ] Alta, delgada y rubia.
- [ ] Alta, delgada y pelirroja.
- [ ] Baja, gorda y pelirroja.

4 ¿Quién lleva barba?
- [ ] Andrew.
- [ ] Antonio.
- [ ] Begoña.

5 ¿Quién lleva gafas?
- [ ] Lola.
- [ ] Antonio.
- [ ] Begoña.

6 ¿A qué se dedica Antonio?
- [ ] Es arquitecto.
- [ ] Es peluquero.
- [ ] Es profesor de teatro.

treinta y tres 33

OBJETIVOS

Los objetivos de esta lección son:

- Presentar vocabulario de profesiones.
- Proporcionar los recursos más frecuentes para referirse a la familia, las relaciones de parentesco y al estado civil.
- Conocer los adjetivos posesivos referidos a las personas *yo, tú, él*.
- Conocer la concordancia de género y número entre elementos del sintagma nominal.
- Ofrecer al alumno los recursos necesarios para identificar a alguien refiriéndose a la descripción física.
- Presentar recursos elementales para controlar la comunicación y para desenvolverse en clase solicitando ayuda o aclaraciones acerca de la lengua.

En esta lección se relaciona la flexión de género y número con los nombres de profesiones, adjetivos para la descripción física y vocabulario de parentesco.

1. En esta actividad se centra la atención de los alumnos en el vocabulario utilizado para describir físicamente a las personas y en el de las profesiones. Haga que los alumnos observen la foto y comente con ellos qué personas aparecen y cuál es su aspecto físico. Anímeles a preguntar por las palabras necesarias para describir la foto o a buscar algunas en el diccionario. Si lo considera necesario, escriba en la pizarra las palabras nuevas o las que le soliciten los alumnos. Favorezca que los alumnos se pregunten los unos a los otros y se expliquen entre ellos el vocabulario nuevo.

Actividades alternativas

A. Proponga a sus alumnos que indiquen el nombre de los cinco personajes de la foto y digan su profesión con la estructura: *Se llama (Antonio) y es (profesor de teatro)*. Hágales comparar sus respuestas en parejas para corregirse.

B. Invíteles a que pregunten por el nombre de las profesiones que les interesen o les sean más cercanas o que indiquen si algún miembro de su familia se dedica a alguna de las profesiones que han aparecido.

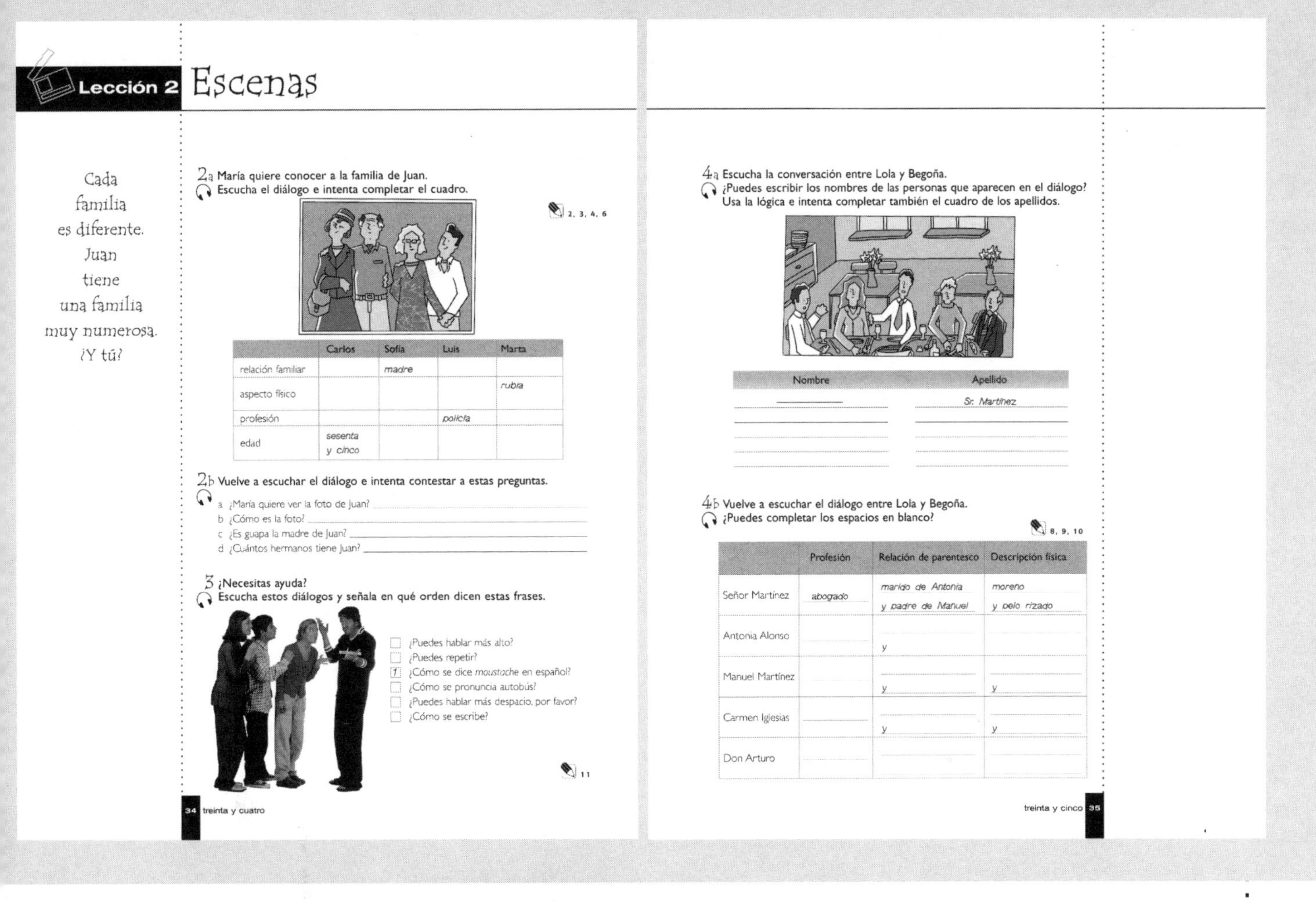

Lección 2 Escenas

Cada familia es diferente. Juan tiene una familia muy numerosa. ¿Y tú?

2a María quiere conocer a la familia de Juan.
Escucha el diálogo e intenta completar el cuadro.

2, 3, 4, 6

	Carlos	Sofía	Luis	Marta
relación familiar		*madre*		
aspecto físico				*rubia*
profesión			*policía*	
edad	*sesenta y cinco*			

2b Vuelve a escuchar el diálogo e intenta contestar a estas preguntas.

a ¿María quiere ver la foto de Juan?
b ¿Cómo es la foto?
c ¿Es guapa la madre de Juan?
d ¿Cuántos hermanos tiene Juan?

3 ¿Necesitas ayuda?
Escucha estos diálogos y señala en qué orden dicen estas frases.

- [ ] ¿Puedes hablar más alto?
- [ ] ¿Puedes repetir?
- [1] ¿Cómo se dice *moustache* en español?
- [ ] ¿Cómo se pronuncia autobús?
- [ ] ¿Puedes hablar más despacio, por favor?
- [ ] ¿Cómo se escribe?

11

34 treinta y cuatro

4a Escucha la conversación entre Lola y Begoña.
¿Puedes escribir los nombres de las personas que aparecen en el diálogo?
Usa la lógica e intenta completar también el cuadro de los apellidos.

Nombre	Apellido
	Sr. Martínez

4b Vuelve a escuchar el diálogo entre Lola y Begoña.
¿Puedes completar los espacios en blanco?

8, 9, 10

	Profesión	Relación de parentesco	Descripción física
Señor Martínez	*abogado*	*marido de Antonia y padre de Manuel*	*moreno y pelo rizado*
Antonia Alonso		y	
Manuel Martínez		y	y
Carmen Iglesias		y	y
Don Arturo			

treinta y cinco 35

2 Escenas

2. Pregunte a sus alumnos si conocen algún término para designar parentesco. También puede formular preguntas para reutilizar recursos presentados en la Lección 1, como *¿Cuántos años tienen?*, etc. Antes de la audición proporcione el léxico de parentesco básico. Puede hacer diferentes audiciones concentrando la atención de los alumnos selectivamente cada vez en un personaje o bien en una categoría: *relación familiar, aspecto físico*, etc.

3. En esta actividad, los alumnos ponen en práctica estructuras para resolver problemas de comunicación. Destaque el hecho de que estos recursos pueden resultar útiles no sólo en clase, sino en múltiples contextos fuera del aula. Haga que los alumnos lean las frases iniciales y marquen las que conocen. Usted puede ayudarlos en las que no conozcan.

4. Fije la atención de los alumnos en el dibujo y en las características físicas de los personajes que aparecen.

Actividades alternativas

C. Anime a los alumnos a traer a clase fotografías de su familia para presentarlas y comentarlas en pequeños grupos.

Después, pueden escribir una pequeña presentación de su familia con el nombre, la edad, la profesión, el aspecto físico, la relación de parentesco, etc.

D. Sugiera a sus alumnos que practiquen en parejas la estructura para pedir la traducción de una palabra. Por ejemplo: *¿Cómo se dice* blond *en español? Rubio; ¿Cómo se escribe? Erre-u-be-i-o.*

Puede pedir a los alumnos que modifiquen las frases que sean necesarias para usarlas en un tratamiento formal. Las frases que cambian son: *¿Puede hablar más alto?, ¿Puede repetir?, ¿Cómo se pronuncia autobús?, ¿Puede hablar más despacio, por favor?*

Para facilitar que los alumnos recuerden estas frases y puedan usarlas con la mayor celeridad en el momento necesario, es una buena idea colocar en la pared del aula carteles con estas frases escritas con letras grandes. Cuando observe en sesiones posteriores que surge la necesidad de usar alguna, y los alumnos no lo hacen o lo resuelven directamente en su lengua materna, puede señalar el cartel correspondiente que contiene la frase que el alumno debería utilizar.

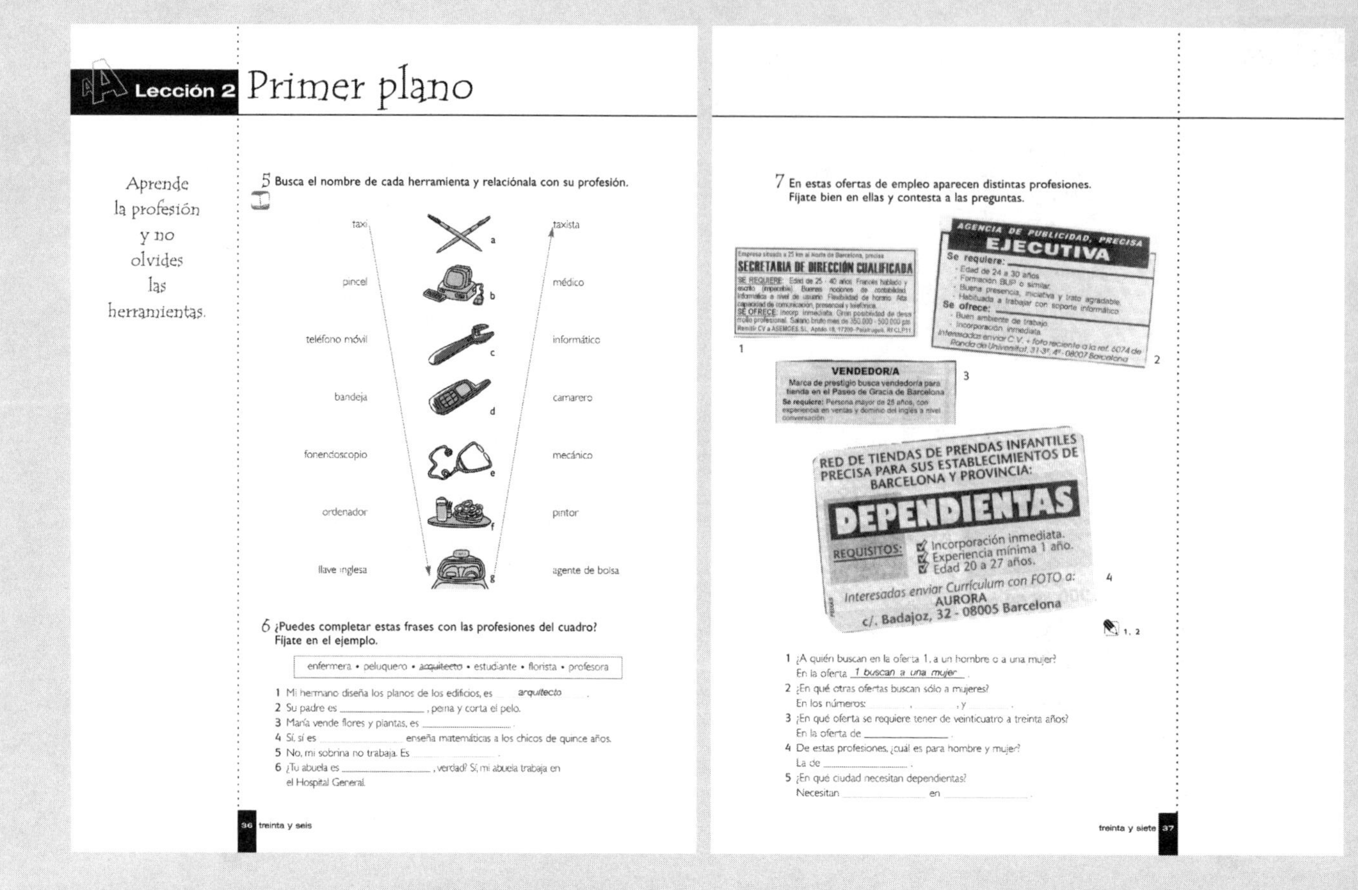

Lección 2 Primer plano

Aprende la profesión y no olvides las herramientas.

5 **Busca el nombre de cada herramienta y relaciónala con su profesión.**

taxi	a	taxista
pincel	b	médico
teléfono móvil	c	informático
bandeja	d	camarero
fonendoscopio	e	mecánico
ordenador	f	pintor
llave inglesa	g	agente de bolsa

6 **¿Puedes completar estas frases con las profesiones del cuadro? Fíjate en el ejemplo.**

enfermera • peluquero • ~~arquitecto~~ • estudiante • florista • profesora

1 Mi hermano diseña los planos de los edificios, es *arquitecto*.
2 Su padre es ________, peina y corta el pelo.
3 María vende flores y plantas, es ________.
4 Sí, sí es ________ enseña matemáticas a los chicos de quince años.
5 No, mi sobrina no trabaja. Es ________.
6 ¿Tu abuela es ________, verdad? Sí, mi abuela trabaja en el Hospital General.

36 treinta y seis

7 **En estas ofertas de empleo aparecen distintas profesiones. Fíjate bien en ellas y contesta a las preguntas.**

1
Empresa situada a 25 km al Norte de Barcelona, precisa
SECRETARIA DE DIRECCIÓN CUALIFICADA
SE REQUIERE: Edad de 25 - 40 años. Francés hablado y escrito (imprescindible). Buenas nociones de contabilidad. Informática a nivel de usuario. Flexibilidad de horario. Alta capacidad de comunicación, presencial y telefónica.
SE OFRECE: Incorp. inmediata. Gran posibilidad de desarrollo profesional. Salario bruto mes de 350.000 - 500.000 pts.
Remitir CV a ASEMOES SL. Aptdo 18, 17200-Palafrugell. Rf CLP11

2
AGENCIA DE PUBLICIDAD, PRECISA
EJECUTIVA
Se requiere:
- Edad de 24 a 30 años
- Formación BUP o similar
- Buena presencia, iniciativa y trato agradable
- Habituada a trabajar con soporte informático
Se ofrece:
- Buen ambiente de trabajo
- Incorporación inmediata
Interesadas enviar C.V. + foto reciente a la ref. 6074 de Ronda de Universitat, 31-3º, 4ª - 08007 Barcelona

3
VENDEDOR/A
Marca de prestigio busca vendedor/a para tienda en el Paseo de Gracia de Barcelona
Se requiere: Persona mayor de 25 años, con experiencia en ventas y dominio del inglés a nivel conversación.

4
RED DE TIENDAS DE PRENDAS INFANTILES PRECISA PARA SUS ESTABLECIMIENTOS DE BARCELONA Y PROVINCIA:
DEPENDIENTAS
REQUISITOS: Incorporación inmediata. Experiencia mínima 1 año. Edad 20 a 27 años.
Interesadas enviar Currículum con FOTO a:
AURORA
c/. Badajoz, 32 - 08005 Barcelona

1, 2

1 ¿A quién buscan en la oferta 1, a un hombre o a una mujer?
En la oferta *1 buscan a una mujer*.
2 ¿En qué otras ofertas buscan sólo a mujeres?
En los números: ____, ____, y ____.
3 ¿En qué oferta se requiere tener de veinticuatro a treinta años?
En la oferta de ________.
4 De estas profesiones, ¿cuál es para hombre y mujer?
La de ________.
5 ¿En qué ciudad necesitan dependientas?
Necesitan ________ en ________.

treinta y siete 37

La familia de Juan está reunida. ¡Vamos a conocerlos!

8a **¿Te acuerdas de la familia de Juan? Aquí están todos...**

Seguro que completas este texto con los nombres del dibujo.

Carlos y *Sofía* tienen cinco hijos. *Luis* es el mayor, *Juan*, *Marcelo*, *Victoria* son los medianos, y Eva es la menor.
________ está casado con Marta, ________ vive con Sergio. Eva, Juan y Marcelo están solteros.
Juan y Marcelo no tienen novia y Eva tiene novio, ________.
________ y ________ ya son abuelos. Tienen dos nietos, Diego y ________. Luis y ________ son los padres de Diego. Victoria y ________, los de Julia. ________ y ________ son primos.

8b **¿Conoces las relaciones familiares? Inténtalo con la familia de Juan en frases como las del ejemplo.**

3, 4, 5

1 Carlos Sofía: *Carlos es el marido de Sofía. Sofía es la mujer de Carlos. Carlos y Sofía están casados.*
2 Luis Marta: ________
3 Eva Vicente: ________
4 Diego Julia: ________
5 Carlos y Sofía Diego y Julia: ________
6 Juan y Marcelo Marta: ________

9 **Intenta hacer las descripciones de nuestros amigos. ¿Necesitas ayuda? Mira el cuadro de las palabras.**

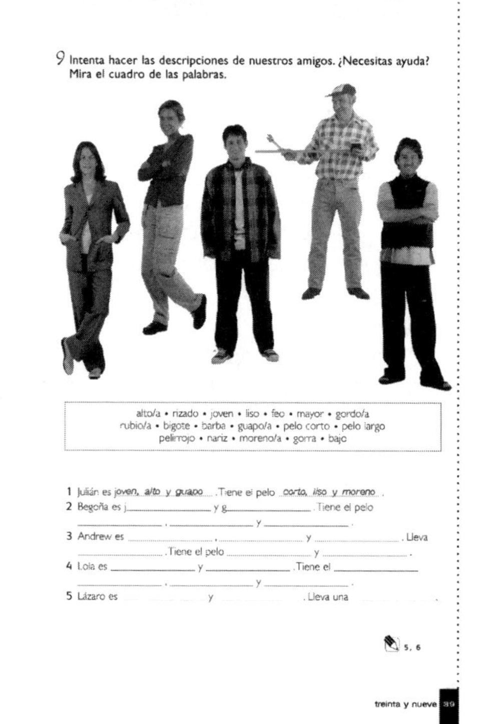

alto/a • rizado • joven • liso • feo • mayor • gordo/a
rubio/a • bigote • barba • guapo/a • pelo corto • pelo largo
pelirrojo • nariz • moreno/a • gorra • bajo

1 Julián es *joven, alto y guapo*. Tiene el pelo *corto, liso y moreno*.
2 Begoña es j________ y g________. Tiene el pelo ________, ________ y ________.
3 Andrew es ________, ________ y ________. Lleva ________. Tiene el pelo ________ y ________.
4 Lola es ________ y ________. Tiene el ________ ________, ________ y ________.
5 Lázaro es ________ y ________. Lleva una ________.

5, 6

5. El objetivo principal de la actividad es practicar el vocabulario de profesiones. Si lo considera rentable, destaque sólo el nombre de los objetos que quieran saber los alumnos. Si su grupo aprende rápido, estimule a los alumnos para que piensen en otras profesiones y en objetos y herramientas relacionados.

7. Haga que sus alumnos observen el sexo de los candidatos demandados en cada anuncio. Puede indicar la forma masculina de *dependiente, ejecutivo, secretario*. Indique que *recepcionista* es invariable.

Puede hacer notar, sin riesgo de consolidar estereotipos, que en la sociedad actual hay profesiones mayoritariamente masculinas, como minero, ingeniero o conductor, y otras mayoritariamente femeninas, como secretaria, enfermera o mujer de la limpieza, así como que la sociedad cambia y la lengua con ella. Contraste con los alumnos si en sus países también hay profesiones mayoritariamente masculinas y femeninas.

Puede preguntarles si en su país o ciudad existe una profesión mayoritaria o peculiar, por ejemplo, los empleados del metro de Japón que se dedican a distribuir a la gente dentro de los vagones para ganar espacio. De ser así, el alumno puede explicar en una lengua compartida por todos en qué consiste dicha profesión.

8. Antes de la lectura del texto, formule a los alumnos preguntas sobre los personajes del dibujo, como *¿Quiénes son?, ¿Qué relación tienen entre sí?*, etc. Pida a los alumnos que elaboren hipótesis basándose en el dibujo. Asegúrese de que los alumnos entienden el significado de los términos que aparecen en la actividad. Después pregúnteles qué otras relaciones familiares les interesa conocer.

Haga notar la diferencia de la forma masculina y la femenina en las relaciones de parentesco, p. ej.: *hermana, hermano*. Recuerde a los alumnos que ya habían observado la concordancia de género y número en las nacionalidades y en la Lección 1.

Aproveche la actividad para hablar de los nombres frecuentes en países de habla hispana. Contrástelos con los nombres típicos de los países de los alumnos. Esta es una buena ocasión para informar de la existencia de los nombres compuestos, tan usuales en Latinoamérica y en España como *Juan Manuel, José Manuel, José Antonio, Juan Ignacio, Juan María, Julia María*, etc., así como los nombres típicos de las comunidades autonómicas españolas: *Almudena, Rocío, Montserrat, Vicente, Beatriz, Ana*, etc. Destaque el uso de los términos *compañero, viven juntos* o *pareja* como formas actuales para referirse a las parejas no casadas.

Aproveche el dibujo para destacar el hecho cultural de que en España en vacaciones es frecuente ir a una casa, de la costa o de la montaña, alquilada o como segunda residencia.

Una vez realizada la actividad, puede pedir a sus alumnos que dibujen el árbol genealógico de la familia de Julián.

9. En el vocabulario para referirse a la descripción física de persona, destaque la concordancia de género y número.

Indique que *gordo* es una palabra con connotaciones negativas, por ser una cualidad socialmente poco apreciada.

Actividades alternativas

E. Los alumnos pueden confeccionar rótulos similares a los que algunos profesionales colocan en las viviendas o despachos usando nombres y apellidos propios de los países hispano-hablantes. Esto les ayudará a familiarizarse con los nombres y los apellidos más comunes de la cultura hispana.

F. Puede animar a sus alumnos a pensar en personajes famosos para que los compañeros averigüen su nombre preguntando la profesión y el aspecto físico. Otra variante es contestar a las preguntas que le hagan sus compañeros sólo con *sí / no*: Por ejemplo, *¿Es rubio?, Sí*.

G. Lleve a clase unas diez fotos grandes de personas y colóquelas bien a la vista de todos. Por turnos, un alumno selecciona una foto sin decir de quién se trata y los compañeros tienen que descubrir su identidad haciendo preguntas sobre la edad, el aspecto físico, etc.

H. Proponga que cada alumno escriba en un papel su propia descripción física sin poner su nombre ni apellidos. Después, el profesor recoge todos los papeles y los baraja para repartirlos entre ellos, cuidando de que ninguno reciba la suya. Cada alumno leerá la descripción que le ha tocado e intentará adivinar de qué compañero se trata. Tres o cuatro alumnos pueden leer en voz alta para que los demás adivinen a quién corresponde la descripción. Posteriormente, proponga que los alumnos se fijen en la corrección gramatical, léxica y ortográfica del texto y sugieran correcciones si lo consideran necesario.

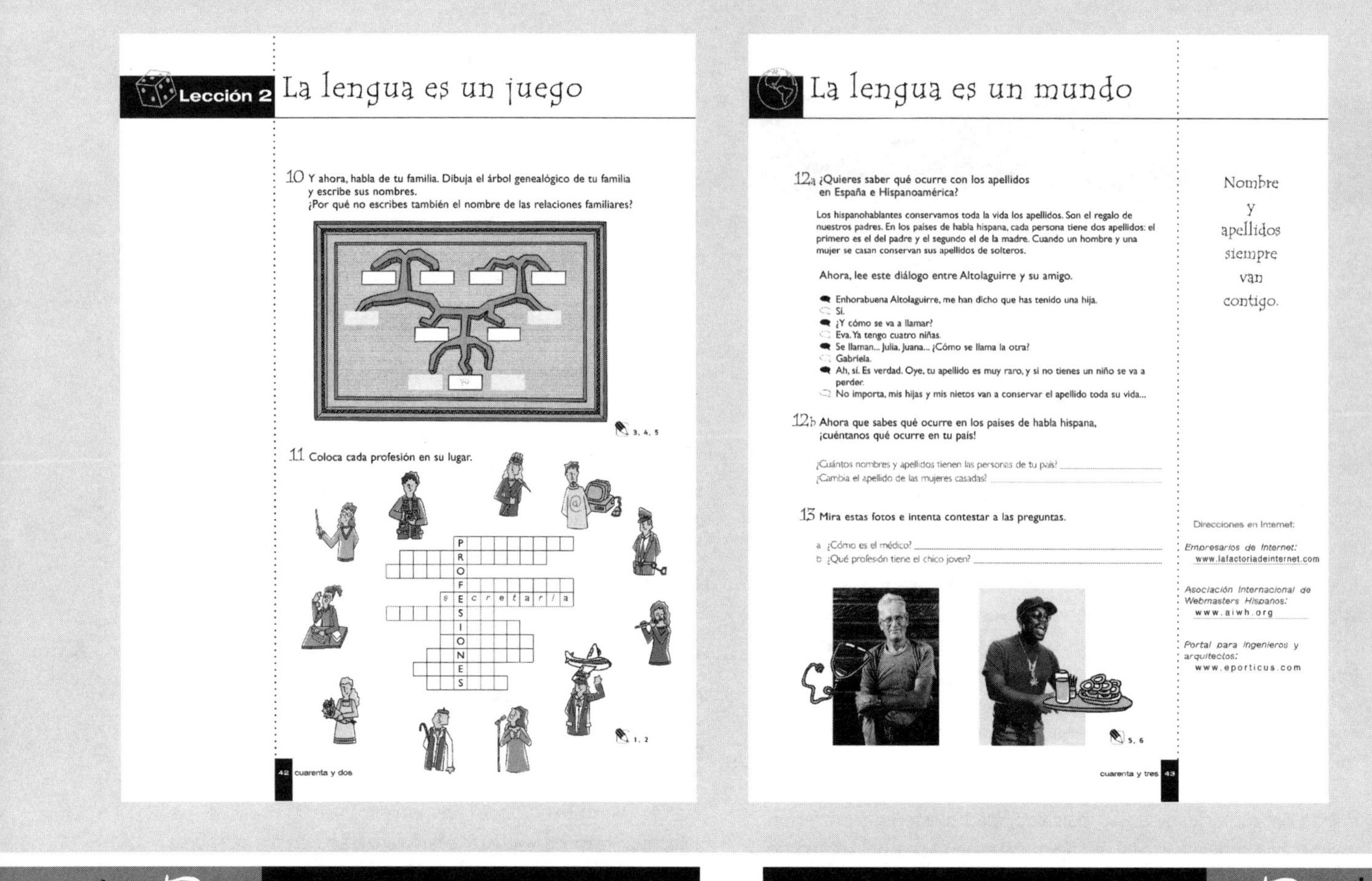

Lección 2 La lengua es un juego

10 Y ahora, habla de tu familia. Dibuja el árbol genealógico de tu familia y escribe sus nombres.
¿Por qué no escribes también el nombre de las relaciones familiares?

11 Coloca cada profesión en su lugar.

42 cuarenta y dos

La lengua es un mundo

12a ¿Quieres saber qué ocurre con los apellidos en España e Hispanoamérica?

Los hispanohablantes conservamos toda la vida los apellidos. Son el regalo de nuestros padres. En los países de habla hispana, cada persona tiene dos apellidos: el primero es el del padre y el segundo el de la madre. Cuando un hombre y una mujer se casan conservan sus apellidos de solteros.

Ahora, lee este diálogo entre Altolaguirre y su amigo.

- Enhorabuena Altolaguirre, me han dicho que has tenido una hija.
- Sí.
- ¿Y cómo se va a llamar?
- Eva. Ya tengo cuatro niñas.
- Se llaman... Julia, Juana... ¿Cómo se llama la otra?
- Gabriela.
- Ah, sí. Es verdad. Oye, tu apellido es muy raro, y si no tienes un niño se va a perder.
- No importa, mis hijas y mis nietos van a conservar el apellido toda su vida...

12b Ahora que sabes qué ocurre en los países de habla hispana, ¡cuéntanos qué ocurre en tu país!

¿Cuántos nombres y apellidos tienen las personas de tu país? ....
¿Cambia el apellido de las mujeres casadas? ....

13 Mira estas fotos e intenta contestar a las preguntas.

a ¿Cómo es el médico? ....
b ¿Qué profesión tiene el chico joven? ....

Nombre y apellidos siempre van contigo.

Direcciones en Internet:

Empresarios de Internet: www.lafactoriadeinternet.com

Asociación Internacional de Webmasters Hispanos: www.aiwh.org

Portal para ingenieros y arquitectos: www.eporticus.com

cuarenta y tres 43

10. Destaque que las casillas del árbol genealógico para los tíos y los hermanos están difuminadas porque puede que el alumno no tenga o tenga varios.

Invite a los alumnos a dibujar el árbol genealógico de sus familias. Después, pídales que en pequeños grupos se expliquen los nombres de los miembros de su familia y su relación de parentesco. A continuación, anímeles a que escriban frases como las de la actividad 8 para describir las relaciones familiares.

Una alternativa es barajar y repartir los dibujos para que los alumnos descubran a quién pertenece cada árbol. Así practicarán oralmente las estructuras que conocen: *¿Cómo se llaman tus padres?, ¿Tienes hermanos?, ¿Cuántos años tiene tu hermano?*, etc.

Actividades alternativas

I. Puede hacer un repaso del vocabulario de profesiones proponiendo a los alumnos que jueguen al ahorcado utilizando el léxico que ha aparecido en la lección.

Si tiene un grupo que aprende rápido, pueden intentar formular definiciones de las distintas profesiones sin decir el nombre de la profesión, para que el resto de compañeros lo adivinen. Por ejemplo: *Ayuda a la gente que está enferma. Doctora.*

12. Destaque que en las culturas hispanohablantes se usa el nombre (o los nombres, si se trata de un nombre compuesto), y los apellidos. Indique la existencia de dos apellidos en España. El orden tradicional es: el primer apellido del hijo es el del padre y el segundo, el de la madre. No obstante, en España se puede invertir legalmente este orden desde 1999.

Comente que en la vida cotidiana se acostumbra a utilizar sólo el primer apellido, mientras que los dos apellidos se usan básicamente para completar documentos y también en el caso de que el primero sea muy frecuente, como ocurre con García, Gutiérrez, Pérez, Sánchez, etc. Puede ejemplificar este fenómeno con personajes famosos, como Arancha Sánchez Vicario, o Gabriel García Márquez.

Puede hacer un contraste intercultural de estos fenómenos, ya que, por ejemplo, en otros países sólo usan un apellido o éste se coloca antes que el nombre, o la mujer cambia su apellido al casarse, etc.

3

lecciónotres3

¡Amigos para siempre!

Lección 3 En portada

¡Amigos para siempre!

¿Qué hace Julián en su tiempo libre? ¿Y Begoña? ¿Acompañamos a Andrew a su primera entrevista de trabajo? Además, asistiremos a una sesión de radio por Internet. ¡Uf! ¿Vamos a tener tiempo? ¡Claro que sí!

46 cuarenta y seis

En esta lección vas a aprender:

- A hablar de aficiones
- A expresar intenciones con *para* y causas con *porque*

1 Nuestros amigos se enseñan unas fotos. Intenta relacionar las fotos con el deporte.

1 *golf* 2 ____ 3 ____ 4 ____

5 ____ 6 ____ 7 ____ 8 ____

atletismo • esgrima • esquí • gimnasia • montañismo • ~~golf~~ • ciclismo • natación

cuarenta y siete 47

OBJETIVOS

Los objetivos de esta lección son:

- Proporcionar vocabulario para referirse a deportes y aficiones.
- Conocer vocabulario de verbos de acciones frecuentes.
- Hablar de intenciones y objetivos.
- Familiarizar al alumno con la conjugación regular en presente de las personas *nosotros, vosotros* y *ellos.*
- Reconocer los adjetivos posesivos relacionados con las personas *nosotros, vosotros* y *ellos.*

La práctica de las estructuras con *porque* y *para* para hablar de causa y finalidad no es un objetivo fundamental de la lección, sino un recurso para que los alumnos usen vocabulario de acciones y practiquen la conjugación en presente.

Se presentan los verbos irregulares *estar, ser, ir* y *jugar.* Observe que la irregularidad vocálica *u→ue* de *jugar* no es paradigmáticamente equivalente a la de, p. ej., *o→ue*, ya que es un caso particular que sólo se da en el verbo *jugar.*

En portada 3

1. En esta actividad se presenta vocabulario de deportes. Haga que los alumnos observen las fotografías con detenimiento. Comente con ellos qué personas aparecen, qué hacen y dónde están. Anímeles a que se pregunten entre ellos el vocabulario nuevo. Si no logran encontrar las palabras que necesitan para describir las fotos, propóngales que las busquen en el diccionario. Si lo considera necesario, escriba en la pizarra las palabras que le soliciten los alumnos.

Como introducción a la lección, puede preguntar a sus alumnos qué deportes ven, y hacer que comenten entre sí qué deportes practican y qué deportes conocen. Posteriormente, en otro momento de la lección, tendrán la oportunidad de practicar estas estructuras preguntándose entre ellos.

Puede comentar el hecho de que hay nombres de deportes compartidos por muchas lenguas, como *golf, tenis* o *fútbol,* en los que se adapta la pronunciación de la palabra al sistema fónico de cada lengua. También puede comentar cómo se adapta la escritura a la pronunciación, como en *fútbol,* o bien se traduce la palabra, como *baloncesto.*

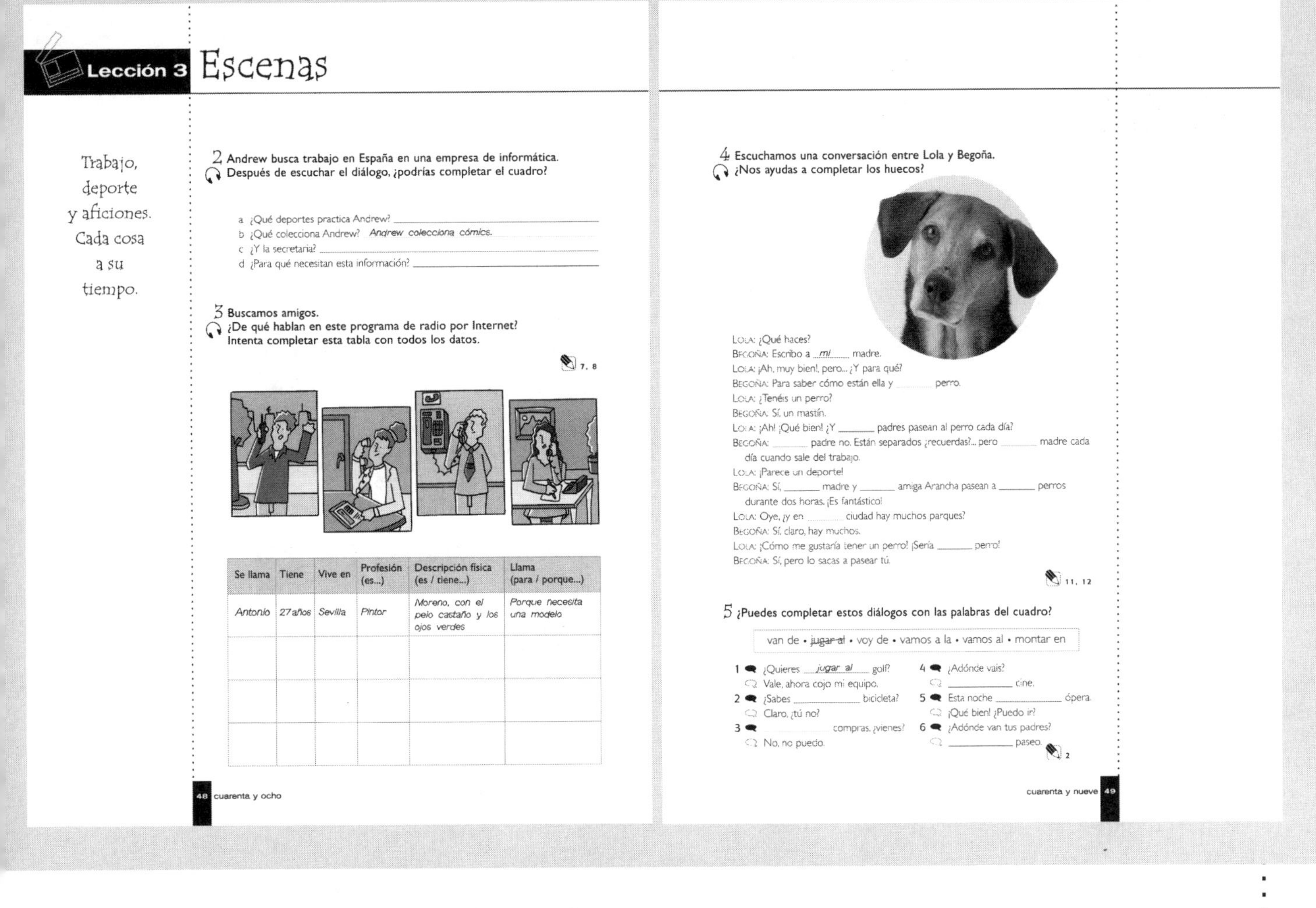

Lección 3 Escenas

Trabajo, deporte y aficiones. Cada cosa a su tiempo.

2 Andrew busca trabajo en España en una empresa de informática.
Después de escuchar el diálogo, ¿podrías completar el cuadro?

a ¿Qué deportes practica Andrew? ________
b ¿Qué colecciona Andrew? *Andrew colecciona cómics.*
c ¿Y la secretaria? ________
d ¿Para qué necesitan esta información? ________

3 Buscamos amigos.
¿De qué hablan en este programa de radio por Internet?
Intenta completar esta tabla con todos los datos.

7, 8

Se llama	Tiene	Vive en	Profesión (es...)	Descripción física (es / tiene...)	Llama (para / porque...)
Antonio	*27 años*	*Sevilla*	*Pintor*	*Moreno, con el pelo castaño y los ojos verdes*	*Porque necesita una modelo*

48 cuarenta y ocho

4 Escuchamos una conversación entre Lola y Begoña.
¿Nos ayudas a completar los huecos?

LOLA: ¿Qué haces?
BEGOÑA: Escribo a *mi* madre.
LOLA: ¡Ah, muy bien!, pero... ¿Y para qué?
BEGOÑA: Para saber cómo están ella y ________ perro.
LOLA: ¿Tenéis un perro?
BEGOÑA: Sí, un mastín.
LOLA: ¡Ah! ¡Qué bien! ¿Y ________ padres pasean al perro cada día?
BEGOÑA: ________ padre no. Están separados ¿recuerdas?... pero ________ madre cada día cuando sale del trabajo.
LOLA: ¡Parece un deporte!
BEGOÑA: Sí, ________ madre y ________ amiga Arancha pasean a ________ perros durante dos horas. ¡Es fantástico!
LOLA: Oye, ¿y en ________ ciudad hay muchos parques?
BEGOÑA: Sí, claro, hay muchos.
LOLA: ¡Cómo me gustaría tener un perro! ¡Sería ________ perro!
BEGOÑA: Sí, pero lo sacas a pasear tú.

11, 12

5 ¿Puedes completar estos diálogos con las palabras del cuadro?

van de • ~~jugar al~~ • voy de • vamos a la • vamos al • montar en

1 ¿Quieres *jugar al* golf?
Vale, ahora cojo mi equipo.
2 ¿Sabes ________ bicicleta?
Claro, ¿tú no?
3 ________ compras, ¿vienes?
No, no puedo.
4 ¿Adónde vais?
________ cine.
5 Esta noche ________ ópera.
¡Qué bien! ¿Puedo ir?
6 ¿Adónde van tus padres?
________ paseo.

2

cuarenta y nueve 49

3 Escenas

2. Introduzca el término *afición*. Si lo estima útil, puede ayudarse de la palabra *hobby*, que también se usa en España. Después de la audición, indique a los alumnos que comparen con sus compañeros los datos que han escuchado y comprueben si coinciden. Puede dirigir las dos primeras preguntas del audio a la clase para obtener información de los alumnos.

3. Presente la actividad informando a sus alumnos de que van a escuchar una recreación de un programa de radio donde llaman los oyentes. Pregúnteles si han llamado alguna vez a un programa parecido. Puede distribuir a los alumnos en grupos para que cada miembro se concentre en una categoría de información: *nombre, edad* y *llama para*, o *vive en, profesión* y *descripción física*, y al finalizar la audición ellos compartan sus datos para completar el cuadro. Puede proponer a los alumnos la simulación de una escena parecida a la del audio: un alumno simula ser el locutor y otros simulan ser los oyentes.

4. Los alumnos tienen que fijarse en las formas de los adjetivos posesivos. Puede destacar la presencia en el diálogo de las formas de infinitivo y los verbos conjugados en presente.

Actividades alternativas

A. Los alumnos pueden organizarse en pequeños grupos para preguntarse qué aficiones tienen, como por ejemplo: *practicar un deporte, cocinar, leer, ir a la discoteca, pasear, ir de compras, ver la tele, coleccionar sellos u otros objetos*, etc. Los alumnos pueden practicar con sus compañeros como en el ejemplo: *Y tú, ¿qué haces?*, o *¿A ti qué te gusta hacer?* Después, con la información que han obtenido, pueden escribir tres frases sobre ellos y sus compañeros. Por ejemplo: *Irene escribe cartas y mira la televisión.* Puede ampliar la actividad explicando qué hace su familia durante su tiempo libre y preguntando a sus compañeros sobre las actividades de sus familiares.

B. Como actividad para integrar las destrezas de expresión y comprensión oral y escrita, pida a sus alumnos que completen por escrito este cuadro sin escribir el nombre. Posteriormente, organice la clase en pequeños grupos y haga circular las hojas de todos los alumnos para que hagan parejas de amigos teniendo en cuenta los datos de cada uno.

Edad	
Vivo en	
Trabajo	
Físicamente, soy...	
Escribo para...	

Primer plano

Fútbol o baloncesto.
¿A qué juegas?
Kárate o natación.
¿Qué practicas?

6 **Clasifica los deportes en el cuadro.**

lucha libre • natación sincronizada • fútbol • ciclismo • esquí • motociclismo
patinaje sobre hielo • baloncesto • boxeo • natación • rugby • kárate
salto de trampolín • automovilismo • voleibol • hockey sobre hielo

Deporte de balón	Deporte de lucha entre dos	Deporte con vehículo	Deporte acuático	Deporte de invierno

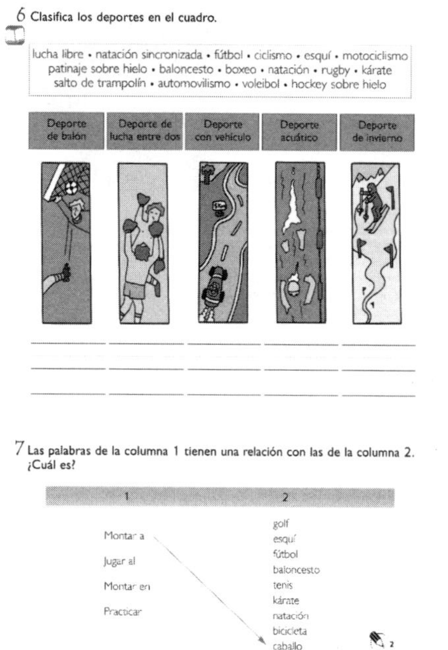

7 **Las palabras de la columna 1 tienen una relación con las de la columna 2. ¿Cuál es?**

1	2
Montar a	golf
Jugar al	esquí
Montar en	fútbol
Practicar	baloncesto
	tenis
	kárate
	natación
	bicicleta
	caballo

2

8 **Ahora somos detectives.**
Con la ayuda del cuadro, ¿puedes completar las fichas de estas personas? El ejemplo te puede ayudar.

10 años • casado • estudiante • golf • ~~jardinería~~ • 65 años • informático
patinaje • 35 años • informática • ~~50 años~~ • ~~abogado~~ • 45 años • divorciado
baloncesto • desempleado • jubilada • viuda • soltera • ~~casado~~

1
edad: ______
estado civil: ______
profesión: ______
aficiones: ______

2
edad: ______
estado civil: ______
profesión: ______
aficiones: ______

51
edad: 50 años
estado civil: casado
profesión: abogado
aficiones: jardinería

3
edad: ______
estado civil: ______
profesión: ______
aficiones: ______

4
edad: ______
estado civil: ______
profesión: ______
aficiones: ______

Primer plano

Cantar, bailar, ir al teatro, coleccionar sellos.
¿Cuáles son tus aficiones?

9 **Relaciona los verbos de la columna A con los elementos de la columna B.**

A	B
	en un grupo de rock
Ver	novelas
Ir	la televisión
Hacer	deporte
Aprender	puzzles
Coleccionar	al teatro
Escribir	español
Leer	postales
Cantar	sellos
	al cine

2

10 **¿Para qué estudias español?**
Quizás en estas frases aparecen tus motivos, ¿podrías señalarlos?

7, 8

- [ ] **Para aprender** un nuevo idioma.
- [ ] **Para vivir** en ______.
- [ ] **Para estudiar** en ______.
- [ ] **Para trabajar** en una empresa española.
- [ ] **Para hablar** español con mis amigos.
- [ ] **Para viajar** por Hispanoamérica o España.
- [ ] **Para leer** libros en ______.
- [ ] **Para escribir** cartas.
- [ ] **Para conocer** personas interesantes.
- [ ] **Para ver** películas en ______.
- [ ] **Para comprender** canciones en ______.
- [ ] **Para hacer** negocios.
- [ ] **Para tener** nuevos amigos.

¿Tienes algún motivo que no aparezca en esta lista?

______
______
______
______
______
______

11 **Volvemos con nuestros amigos. ¿Qué hacen en su tiempo libre?**

escuchar música • hablar por teléfono • escribir • hacer deporte
estudiar • montar en bicicleta • cocinar • ~~leer~~

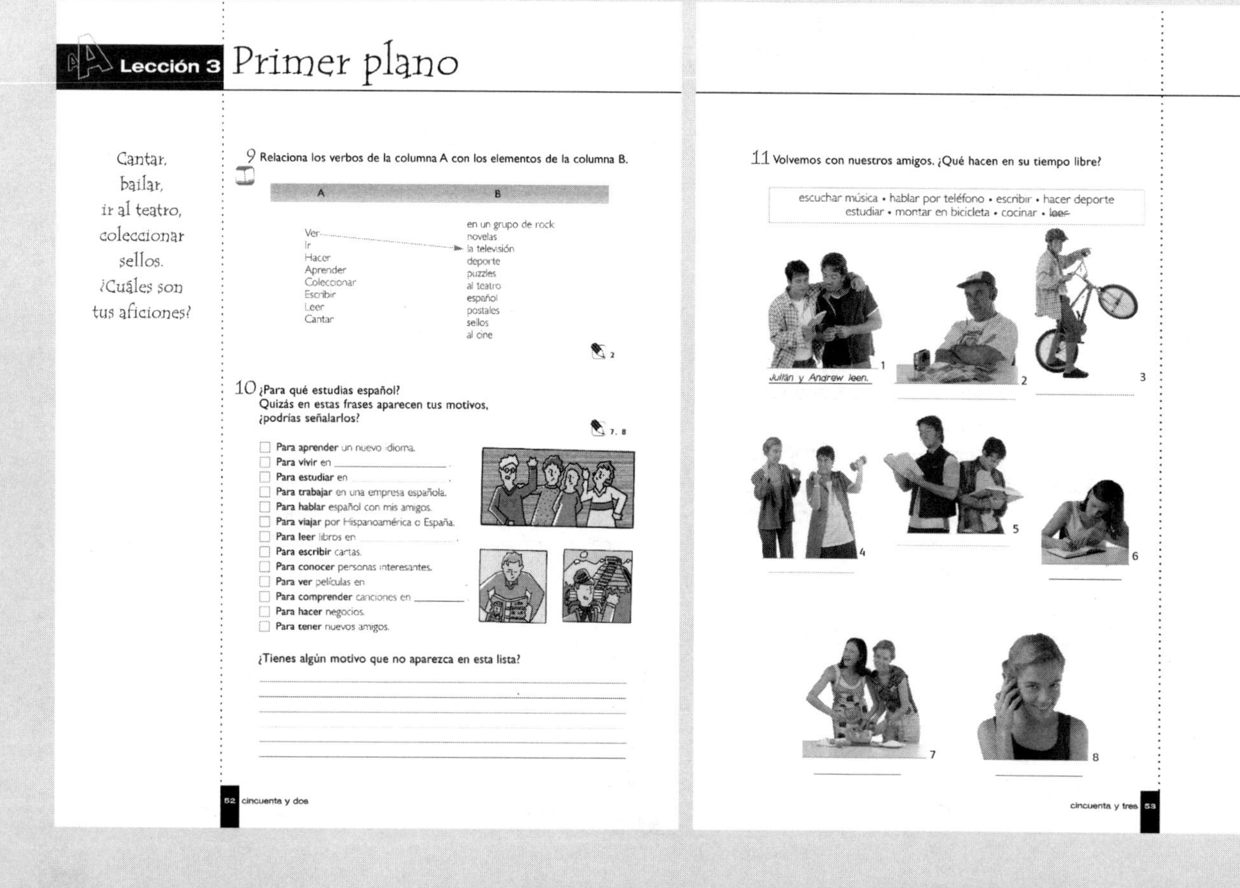

1 Julián y Andrew leen.
2 ______
3 ______
4 ______
5 ______
6 ______
7 ______
8 ______

6. Pida a los alumnos que, en parejas, intenten añadir en alguno de los cinco grupos de deporte, el nombre de otros deportes que conocen. Si su grupo aprende rápido, puede presentar palabras de objetos relacionados con cada deporte: balón, raqueta, bate, coche, moto, etc.

Puede sistematizar el uso diferente de los verbos *jugar, hacer/practicar* y *montar*. Dé orientaciones para distinguir entre *jugar + a + el = jugar al, practicar* y *montar*.

Indique que los pronombres personales no se suelen explicitar acompañando al verbo porque la marca de persona ya está incluida en la desinencia verbal. El pronombre personal se utiliza para enfatizar la identificación del sujeto, destacar la diferencia de una persona dentro de un grupo o en el caso de que dos personas tengan la misma desinencia (p. ej.: *Usted / él come*).

8. Este ejercicio sirve para ampliar vocabulario relacionado con las aficiones y los deportes. Amplíe el vocabulario teniendo en cuenta los intereses de los propios alumnos.
Los alumnos deben fijarse en los detalles de los dibujos para descubrir cómo es cada personaje. Puede pedirles que describan de forma oral la descripción física, el tipo de ropa, los objetos que llevan, etc. Los alumnos deberán explicar al resto de la clase cuál es el detalle que les ha dado la pista para adivinar la afición de cada personaje.
Invite a sus alumnos a que pongan un nombre ficticio a cada personaje de la foto y construyan frases, p. ej.: *Luisa García tiene diez años, está soltera, es estudiante y practica el esquí*, etc.

9. Ejercicio de vocabulario de acciones y aficiones. Observe que en la columna de la izquierda están los verbos y en la columna de la derecha aparecen sus complementos correspondientes.

10. Es importante que los alumnos intercambien información sobre sus motivaciones e intereses para aprender español. Los alumnos primero tienen que marcar las frases que explican sus motivos para aprender. En el caso de que seleccionen las dos primeras frases, tienen que completarlas indicando el lugar donde pretenden vivir o estudiar.

Actividades alternativas

C. Proponga a los alumnos que comenten en pequeños grupos los deportes que practican, les gustan o ven. Por ejemplo: *¿Tú qué deporte practicas? Juego al baloncesto; ¿Qué deporte ves? Veo el fútbol*. Sugiera a los alumnos que intercambien y comparen sus respuestas. Anímeles a que informen oralmente al resto de la clase, o bien que escriban frases, p. ej.: *Laura nada y esquía*.

D. Proponga a la clase que complete esta frase: *Para estar en forma...* a lo que los alumnos podrán responder: *nado, juego al fútbol*, etc. Si lo prefiere, puede anotar los distintos motivos en la pizarra y los alumnos pueden turnarse para responder. Por ejemplo: *Yo nado para practicar deporte y paseo para relajarme*.

E. Puede practicar la estructura *¿Qué haces para...?* referida a otros temas distintos al de aprender una lengua. Los alumnos pueden hacer una encuesta en grupos para descubrir qué hacen sus compañeros en las situaciones indicadas en este cuadro o en otras que usted proponga o sus propios alumnos decidan.

Para estar en forma	nadar...
Para descansar	
Para estar relajado	
Para comer bien	
Para conocer gente	
Para divertirse	

Aclare antes el vocabulario de los temas que propone y esté atento para suministrarles el léxico que necesiten mientras hablan en grupos. Recuerde que un objetivo de la unidad es la conjugación de verbos en presente y proporcionar vocabulario de acciones.

F. Para el alumno es una actividad gratificante poder expresar en español los motivos por los que ha iniciado el curso de español. Invite a los alumnos a que comenten con sus compañeros las causas por las que estudian español. Pídales que escriban frases sobre sus razones y las de sus compañeros. Por ejemplo: *Estudio español para conocer gente y viajar a Vigo, Roberta estudia español para trabajar en una empresa española.*
Una actividad de este tipo permite cohesionar al grupo, ya que hace que los alumnos identifiquen compañeros con objetivos parecidos, o tomen conciencia de la diversidad de intereses que puede existir en el grupo. Por otra parte, a usted esta actividad le permitirá tomar el pulso de los intereses y las motivaciones de sus alumnos.

G. Otra encuesta para realizar en clase que puede proponer a sus alumnos consiste en retomar las estructuras vistas en las tres primeras lecciones. Los alumnos completan la siguiente ficha con sus datos y con los de otros alumnos de la clase.

Datos	Tú	Compañero
Nombre		
Edad		
Nacionalidad		
Estado civil		
Profesión		
Aficiones		
Estudia español para...		

Lección 3 La lengua es un juego

12 Ordena las letras y descubre el nombre de un deporte que ya conoces.

olfg | bury | tesoroblac

lobsibé | úfbtlo | sinte

13 ¿Y tú qué haces en tu tiempo libre?
Con estas pistas puedes empezar a jugar.

1 c | 2 r | 3 d | 4 c | 5 r | 6 g | 7 v | 8 b

56 cincuenta y seis

La lengua es un mundo

14 El deporte en España y Latinoamérica.

El fútbol es el deporte más popular de España y de casi todos los países de Latinoamérica. Es un deporte sencillo, sólo necesitas un balón para practicarlo y dos porterías. Cualquier lugar sirve para jugar al fútbol: la calle, el campo, un parque, la playa, etc. En otros países como México, Cuba y Venezuela se practica otro deporte muy común: el béisbol. Para jugar al béisbol sólo necesitas un bate y una pelota. El baloncesto también es muy popular, pero se practica menos, porque se necesitan una pelota y las canastas.

¿Qué objetos necesitas para practicar estos deportes?

Fútbol	
Béisbol	
Baloncesto	

15 ¿Puedes relacionar el texto con una de las fotografías?

El ciclismo | El atletismo | El esquí

El ....

Este deporte nace a finales del siglo XIX, hoy en día es uno de los deportes más populares y tiene numerosas especialidades: en carretera, en pista, en montaña, etc. Las pruebas en pista se practican en el velódromo. Francia, Italia y España celebran tres competiciones muy importantes durante los meses de verano.

Goles, puntos, vueltas, juegos y carambolas. Todos son tantos. ¿Jugamos un partido?

Direcciones en Internet:

Portal deportivo: www.deporweb.com

Portal deportivo: www.infodeporte.com

Portal especializado en fútbol: www.servifutbol.es

cincuenta y siete 57

Actividades alternativas

H. Proponga a los alumnos que jueguen a hacer mímica. Entregue una tarjeta a cada alumno con el nombre de un deporte o de una actividad, para que por turnos los representen sólo con gestos. No está permitido que el alumno que está representándolo diga ni una palabra. Los compañeros tienen que adivinar de qué deporte se trata. Si el verbo es regular, no se considera correcta la respuesta si no conjuga el verbo en la forma correcta. Por ejemplo, si la acción es bailar, el alumno dirá: *John baila*. En esta situación también es válido responder con la estructura *Estar + gerundio, está bailando*. Si algún alumno la conoce, acéptela, pero, en caso contrario, no la proponga como forma alternativa, ya que aparecerá en la Lección 7.

14. Puede hacer una comparación intercultural de los deportes más practicados en cada país. En España, por ejemplo, el deporte más popular es el fútbol y a bastante distancia están el baloncesto y el ciclismo.

Aparte de los deportes mencionados en el texto, usted puede informar a los alumnos de otros juegos populares en España, como el ajedrez, las cartas, el dominó, etc. En ese caso, probablemente necesite llevar a clase alguno de estos juegos para enseñárselo a los alumnos.

Invite a sus alumnos a que expliquen cuáles son los juegos más difundidos en sus países.

Actividades alternativas

I. Pregunte a los alumnos si conocen el nombre de algún equipo de fútbol, de baloncesto o de béisbol español o hispanoamericano. Es muy probable que los alumnos estén interesados o al menos conozcan nombres de equipos, campeonatos internacionales, nombres de jugadores, clasificación de los equipos en las respectivas ligas, etc.

4

lección cuatro 4

¡Hogar, dulce hogar!

Lección 4 En portada

Una casa es un mundo. ¿Quieres ver de cerca la casa de Lola, Andrew, Julián y Begoña, su mundo? ¿Cómo es tu casa favorita? Hay muchas casas diferentes. También hay asientos diferentes: sillas, sofás, sillones, etc. ¿Quieres conocerlos? ¡Toma asiento y disfruta!

¡Hogar, dulce hogar!

64 sesenta y cuatro

En esta lección vas a aprender:

- A describir las partes y los objetos de la casa
- A situarte en un espacio interior

1a Nuestros amigos están en casa. Fíjate en la foto y completa estas frases con la ayuda del cuadro.

~~sala de estar~~ • sofá • cocina • mesa • encima • comedor • detrás del • entre • al lado • delante de • encima

1 Begoña está en la *sala de estar*, sentada en el ______.
2 Andrew está en el ______, al lado de la ______.
3 Lola y Julián están en la ______, ______ del mostrador.
4 El instrumento de música está ______ del sofá.
5 Los cojines están ______ de Begoña, ______ del sofá.
6 La columna está ______ Andrew y Lola.
7 Begoña está ______ Julián y Lola.

1b ¿Puedes escribir las partes de la casa en este plano? El cuadro te puede ayudar.

comedor • cocina • ~~dormitorio~~ • baño • sala de estar

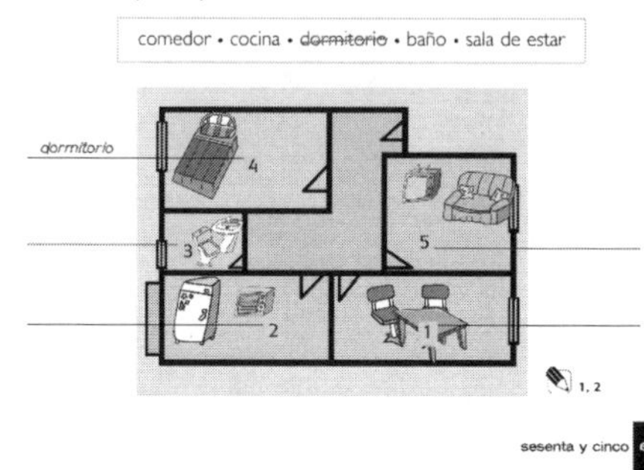

1, 2

sesenta y cinco 65

OBJETIVOS

Los objetivos de esta lección son:

- Proporcionar recursos para describir las partes de una casa e identificar objetos.
- Localizar en un espacio interior.
- Conocer los artículos determinados e indeterminados.
- Reconocer el contraste entre los verbos *haber y estar.*
- Reconocer la irregularidad en presente *o→ue*.
- Conocer las formas de los pronombres posesivos.
- Reconocer el uso de los cuantificadores: *demasiado, mucho, bastante, poco*.
- Conocer la concordancia de los adjetivos variables e invariables al género.

En lecciones anteriores han aprendido la concordancia de género y número relacionada con la nacionalidad, la profesión, la familia y las partes del cuerpo. En esta lección se presenta la concordancia asociada al artículo.

En la segunda y tercera lección han visto las formas de los adjetivos posesivos. En esta lección se presentan los pronombres de las seis personas.

Actividades alternativas

A. Pregunte a los alumnos si viven en una gran ciudad, en un pueblo, en un ciudad pequeña, etc. Invítelos a hablar de las diferentes viviendas que hay en su país o región, y cuál es la más habitual. Pregúnteles también en qué clase de vivienda residen y si es similar a alguna de las que aparecen en las fotografías.

B. El tema de la vivienda tiene implicaciones culturales, lo que le permite comentar aspectos como la distribución de las habitaciones, la dimensión de la vivienda, el número de personas por vivienda, etc. Si lo cree oportuno, comente que en España la mayoría de la población vive en bloques de pisos, aunque en los últimos años se han popularizado las viviendas unifamiliares, bien como primera residencia o bien como segunda para las vacaciones y fines de semana. Puede preguntarles si en sus países existe también este fenómeno.

Puede comentar la diferencia que existe en España entre *piso* y *casa*. No obstante, puede explicar que muy a menudo, para referirnos al concepto de *hogar*, empleamos el término *casa*, aunque realmente sea un piso.

Lección 4 Escenas

Cada casa es un mundo lleno de objetos que debes conocer. Begoña y Antonio tienen problemas. Y necesitan tu ayuda.

2 **Begoña le cuenta a su madre cómo es su nueva casa. Escucha el diálogo y señala cómo es la casa de Begoña.**

		V	F
1	El piso de Begoña es grande.	X	
2	La habitación de Begoña es oscura.		
3	La habitación de Begoña es un poco ruidosa.		
4	El barrio es triste.		
5	La cocina es amplia.		
6	La cocina es un poco vieja.		
7	El salón, el comedor y la cocina están en el mismo espacio.		
8	El piso tiene agua caliente.		
9	Begoña comparte piso con un chico y dos chicas.		
10	Andrew tiene la habitación más grande.		

1, 12

3 **Ésta es la nueva oficina de Alberto, un amigo de Julián. Después de oír la conversación entre Julián y Alberto, ¿puedes colocar en el dibujo de la oficina los elementos que faltan?**

2

66 sesenta y seis

4a **Begoña es una despistada. Lola siempre la ayuda a encontrar las cosas. Después de escuchar el diálogo escribe dónde están las cosas que busca.**

La agenda *está en la habitación, encima de la mesa.*
Las gafas de sol están ________
Las llaves están ________
La dirección de Internet está ________
La tarjeta del metro está ________

2, 4, 5

4b **¿Puedes encontrar el bolígrafo de Begoña? Te damos una pista, está muy cerca de la lámpara.**

5 **La agencia de mudanzas es un desastre. Antonio llama a la empresa para reclamar. ¿Dónde están los muebles? ¿Y dónde los quiere Antonio?**

¿Dónde están los muebles?

La cama está *debajo de la ventana.*
La mesa del comedor está ________
El sofá está *enfrente de la puerta.*
El frigorífico está ________

¿Dónde los quiere Antonio?

Quiere la cama ________
Quiere la mesa del comedor ________
Quiere el sofá ________
Quiere el frigorífico ________

2, 4, 5

sesenta y siete 67

4 Escenas

2. Si lo cree necesario, puede destacar el vocabulario que aparece en la audición antes de escucharlo. Un objetivo de la actividad es observar la concordancia en los adjetivos variables e invariables al género: *grande, pequeño, oscuro, tranquila, triste, vieja,* etc. Pregunte a sus alumnos si todos entienden los motivos por los que Begoña actúa de este modo con su madre y haga un comentario al respecto.

4. La situación que reproduce el audio es muy cotidiana. Comente con sus alumnos si en alguna ocasión se han encontrado en la situación de buscar con urgencia algo por la casa. Haga que indiquen de qué objeto se trataba y si recuerdan dónde lo encontraron.

Actividades alternativas

C. Anime a los alumnos a comentar distintos tipos de vivienda y construcción que conocen y que existen en el mundo. Puede llevar varias fotos grandes para focalizar mejor la actividad. Invíteles a preguntar a sus compañeros, o a buscar en el diccionario, las palabras que necesiten y desconozcan. Si lo considera oportuno, escriba en la pizarra las palabras que le soliciten los alumnos.

D. Anime a los alumnos a describir su vivienda. Distribuya a los alumnos en parejas para que mientras uno describe cómo es su piso o casa, el otro dibuje un pequeño plano. Después, deberán comprobar si el plano se corresponde con los datos. Esté atento para proporcionar vocabulario que no haya aparecido en la lección si lo considera conveniente. Posteriormente, pueden hacer una descripción de su vivienda por escrito.

E. Anime a sus alumnos a explicar en parejas cómo es su vivienda, qué objetos hay y en qué parte de la vivienda se encuentran. Pueden comparar su vivienda entre ellos y ver las diferencias que hay entre unas casas y otras. En la comparación pueden usar las formas de los posesivos, p. ej.: *En mi casa hay dos televisores: uno está en la cocina y otro en el salón. Mi piso es muy pequeño, sólo tiene una habitación. El mío también, hay dos habitaciones y un salón muy pequeño.*

F. Como actividad de consolidación, puede pedir a un alumno que salga de clase; mientras, los compañeros diseñarán un plano de una casa amueblada. Una vez consensuado el plano de la casa, regresa el alumno que estaba fuera y se coloca en la pizarra. El grupo le dará las instrucciones oralmente, para que el compañero dibuje el plano de esa casa con sus muebles.

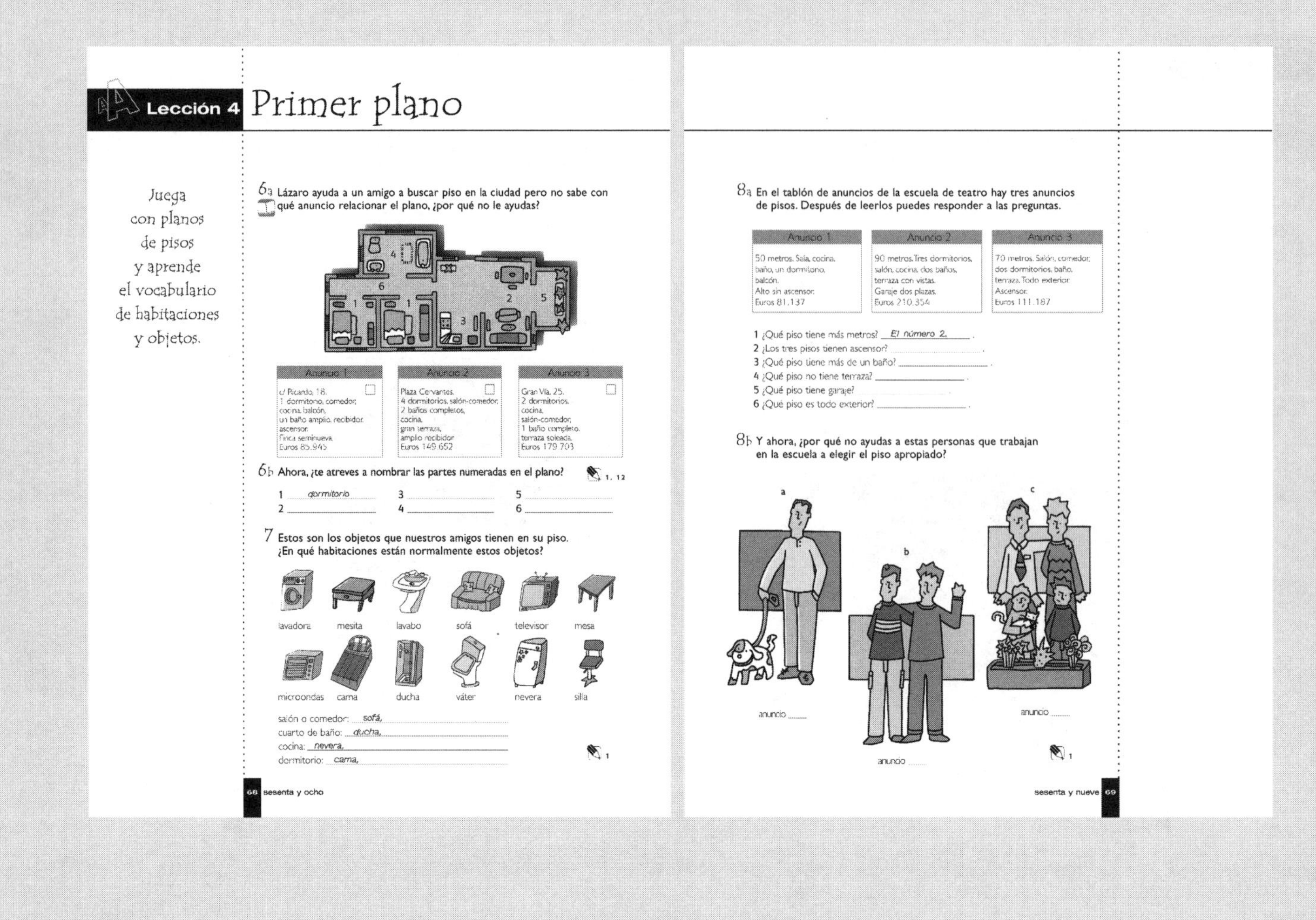

Juega con planos de pisos y aprende el vocabulario de habitaciones y objetos.

6a Lázaro ayuda a un amigo a buscar piso en la ciudad pero no sabe con qué anuncio relacionar el plano, ¿por qué no le ayudas?

Anuncio 1	Anuncio 2	Anuncio 3
c/ Ricardo, 18. 1 dormitorio, comedor, cocina, balcón, un baño amplio, recibidor, ascensor. Finca seminueva. Euros 85.945	Plaza Cervantes. 4 dormitorios, salón-comedor, 2 baños completos, cocina, gran terraza, amplio recibidor. Euros 149.652	Gran Vía, 25. 2 dormitorios, cocina, salón-comedor, 1 baño completo, terraza soleada. Euros 179.703

6b Ahora, ¿te atreves a nombrar las partes numeradas en el plano? 1, 12

1 *dormitorio* 3 ______ 5 ______
2 ______ 4 ______ 6 ______

7 Estos son los objetos que nuestros amigos tienen en su piso. ¿En qué habitaciones están normalmente estos objetos?

lavadora · mesita · lavabo · sofá · televisor · mesa
microondas · cama · ducha · váter · nevera · silla

salón o comedor: *sofá,* ______
cuarto de baño: *ducha,* ______
cocina: *nevera,* ______
dormitorio: *cama,* ______ 1

8a En el tablón de anuncios de la escuela de teatro hay tres anuncios de pisos. Después de leerlos puedes responder a las preguntas.

Anuncio 1	Anuncio 2	Anuncio 3
50 metros. Sala, cocina, baño, un dormitorio, balcón. Alto sin ascensor. Euros 81.137	90 metros. Tres dormitorios, salón, cocina, dos baños, terraza con vistas. Garaje dos plazas. Euros 210.354	70 metros. Salón, comedor, dos dormitorios, baño, terraza. Todo exterior. Ascensor. Euros 111.187

1 ¿Qué piso tiene más metros? *El número 2.*
2 ¿Los tres pisos tienen ascensor? ______.
3 ¿Qué piso tiene más de un baño? ______.
4 ¿Qué piso no tiene terraza? ______.
5 ¿Qué piso tiene garaje? ______
6 ¿Qué piso es todo exterior? ______.

8b Y ahora, ¿por qué no ayudas a estas personas que trabajan en la escuela a elegir el piso apropiado?

a anuncio ____
b anuncio ____
c anuncio ____ 1

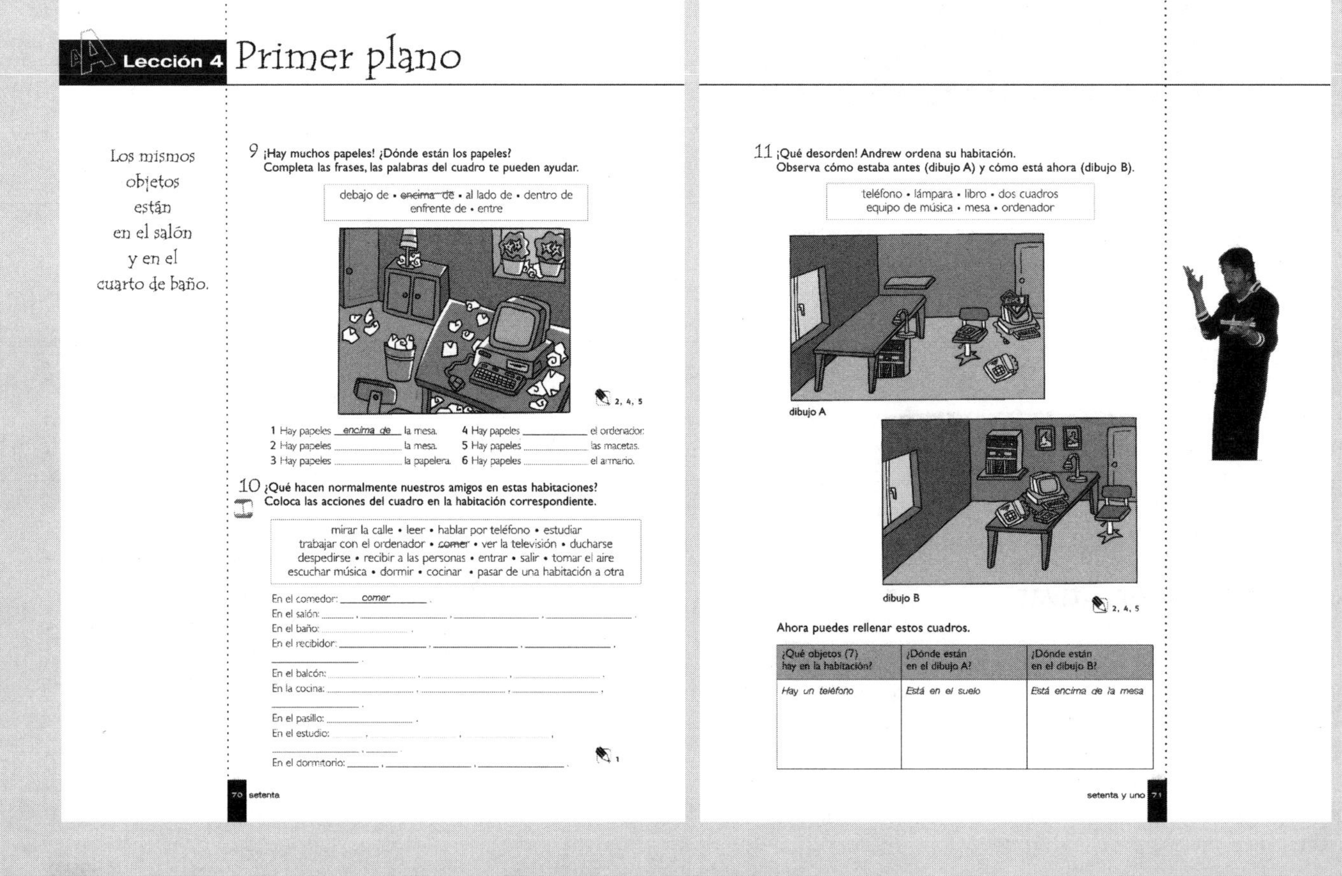

Los mismos objetos están en el salón y en el cuarto de baño.

9 ¡Hay muchos papeles! ¿Dónde están los papeles? Completa las frases, las palabras del cuadro te pueden ayudar.

debajo de • ~~encima de~~ • al lado de • dentro de
enfrente de • entre

2, 4, 5

1 Hay papeles *encima de* la mesa. 4 Hay papeles ______ el ordenador.
2 Hay papeles ______ la mesa. 5 Hay papeles ______ las macetas.
3 Hay papeles ______ la papelera. 6 Hay papeles ______ el armario.

10 ¿Qué hacen normalmente nuestros amigos en estas habitaciones? Coloca las acciones del cuadro en la habitación correspondiente.

mirar la calle • leer • hablar por teléfono • estudiar
trabajar con el ordenador • ~~comer~~ • ver la televisión • ducharse
despedirse • recibir a las personas • entrar • salir • tomar el aire
escuchar música • dormir • cocinar • pasar de una habitación a otra

En el comedor: *comer*.
En el salón: ______, ______, ______, ______.
En el baño: ______.
En el recibidor: ______, ______, ______, ______.
En el balcón: ______, ______, ______.
En la cocina: ______, ______, ______, ______.
En el pasillo: ______.
En el estudio: ______, ______, ______, ______, ______.
En el dormitorio: ______, ______, ______. 1

11 ¡Qué desorden! Andrew ordena su habitación. Observa cómo estaba antes (dibujo A) y cómo está ahora (dibujo B).

teléfono • lámpara • libro • dos cuadros
equipo de música • mesa • ordenador

dibujo A

dibujo B

2, 4, 5

Ahora puedes rellenar estos cuadros.

¿Qué objetos (7) hay en la habitación?	¿Dónde están en el dibujo A?	¿Dónde están en el dibujo B?
Hay un teléfono	*Está en el suelo*	*Está encima de la mesa*

Destaque la necesidad de memorizar el género de los nombres más frecuentes o de mayor dificultad. Hay que tener en cuenta que el género gramatical varía de una lengua a otra y, que en algunas lenguas, el género gramatical no existe.

El verbo *tener* puede referirse a la vivienda o al propietario de la misma, p. ej.: *¿Tienes aire acondicionado en casa?* o *¿Tu piso tiene aire acondicionado?*

6. Aproveche el anuncio 1 para comentar la abreviatura c/ = calle.

8. Pida a los alumnos que justifiquen la distribución de las personas por piso que han hecho. Las preguntas que aparecen en la actividad les servirán de ayuda.

10. Como recurso para recordar vocabulario, relacione el nombre de las habitaciones con alguna de las acciones frecuentes que en ella suceden: comedor – comer; cocina – cocinar, etc. Anime a los alumnos a que comparen sus respuestas con las de sus compañeros después de realizar la actividad individualmente, para ver si hacen las mismas cosas en las mismas habitaciones.

11. En este ejercicio se practican las formas para localizar en un espacio interior. Complete primero la lista de los objetos de la casa que aparecen en la actividad.

Actividades alternativas

G. Proporcione a sus alumnos revistas de alquiler y compra de pisos, o la sección correspondiente de los diarios. Si tienen acceso, ellos mismos pueden conseguirlos por sus propios medios. Puede pedirles que localicen abreviaturas en los anuncios e intenten adivinar a qué palabra corresponden.

H. Distribuya a los alumnos en pequeños grupos para que busquen piso en una localidad, usando los anuncios que se hayan aportado a la clase. Para ello, en primer lugar proponga a los alumnos que busquen entre los compañeros de la clase al mejor compañero para compartir piso. Pueden hacer preguntas referidas a acciones y aficiones vistas en la Lección 3: p. ej.: *¿Fumas?*, *¿Tienes animales?*, etc.

Posteriormente, deberán ponerse de acuerdo acerca de cómo quieren que sea el piso que tienen que seleccionar de los anunciados: características, número de habitaciones, distribución, muebles, etc.

I. Anime a los alumnos a que imaginen cómo es su casa ideal. Pueden expresarlo primero por escrito y posteriormente de forma oral a los compañeros. Puede dar una frase de ejemplo, como: *Mi casa ideal tiene un cuarto de baño grande, tiene una terraza con muchas plantas*, etc.

J. Proponga a los alumnos que, por grupos, amueblen y decoren una vivienda. Para ello pueden usar el vocabulario de la casa y del mobiliario que aparece en esta lección, así como las estructuras *Hay un X en Y; El X está en Y.*

K. Distribuya a los alumnos en parejas y entregue imágenes de varias habitaciones. Un alumno elige una habitación y la describe a su compañero indicando sus características y los objetos que contiene. El compañero tiene que escuchar atentamente y descubrir de qué habitación se trata.

L. Proponga el siguiente juego de mímica. Un alumno debe representar una acción y el resto de los compañeros tienen que decir el nombre de la habitación donde realiza esa acción. Por ejemplo, si el alumno representa la acción *dormir*, los compañeros pueden decir *dormitorio*.

M. Puede aprovechar los objetos que hay en el aula (diccionario, casete, lápices, libros, etc.) para que los alumnos se pregunten entre ellos dónde están e indiquen su ubicación espacial. Usted puede coger de uno en uno esos objetos y colocarlos en posiciones diferentes. Los alumnos deben reaccionar diciendo exactamente dónde está ese objeto. Por ejemplo, coloque un diccionario al lado de otro libro: *El diccionario está al lado del libro.*

Posteriormente, proponga a un grupo de alumnos que escondan objetos en el aula y, a otro grupo, que formule preguntas para encontrarlos. Los demás les facilitan pistas de su ubicación para que los encuentren: *a la derecha de*, *debajo de*, etc.

N. Puede recoger objetos que los alumnos tengan en el aula, como una botella de agua, un diccionario, unas gafas, un estuche de lápices, etc. Después, muestre a la clase los objetos de uno en uno para asegurarse de que los alumnos conocen su nombre. Para entregar el objeto al dueño, pregunte: *¿De quién es el...?* El alumno sólo puede recuperar el objeto si dice correctamente la forma del posesivo *Mío / a / os / as*. Usted también puede preguntar deliberadamente a un alumno que no sea el propietario *¿Son tuyas?*, para que éste tenga que responder: *No, son suyas.*

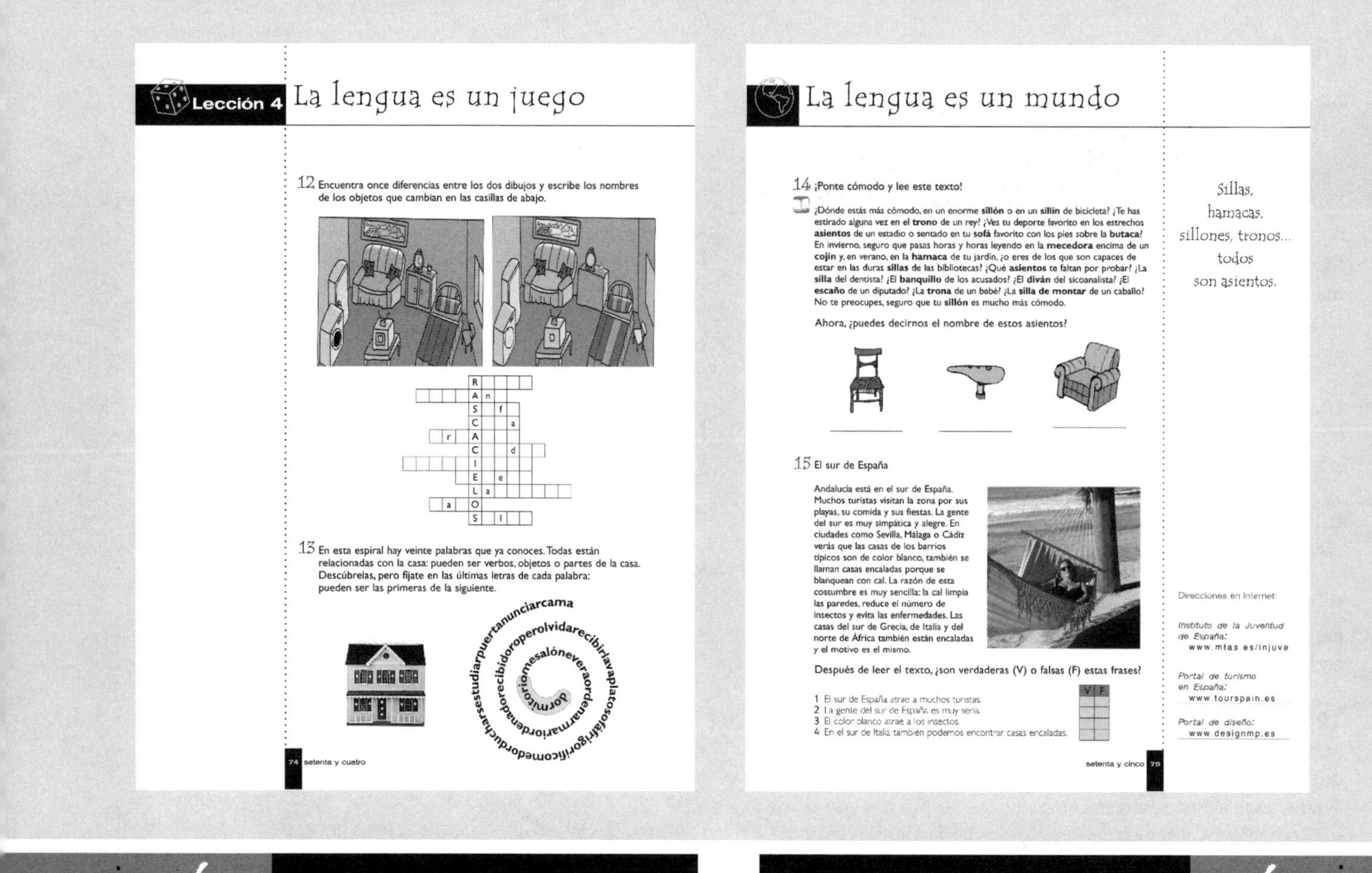

Lección 4 La lengua es un juego

12 Encuentra once diferencias entre los dos dibujos y escribe los nombres de los objetos que cambian en las casillas de abajo.

13 En esta espiral hay veinte palabras que ya conoces. Todas están relacionadas con la casa: pueden ser verbos, objetos o partes de la casa. Descúbrelas, pero fíjate en las últimas letras de cada palabra: pueden ser las primeras de la siguiente.

74 setenta y cuatro

La lengua es un mundo

14 ¡Ponte cómodo y lee este texto!

¿Dónde estás más cómodo, en un enorme **sillón** o en un **sillín** de bicicleta? ¿Te has estirado alguna vez en el **trono** de un rey? ¿Ves tu deporte favorito en los estrechos **asientos** de un estadio o sentado en tu **sofá** favorito con los pies sobre la **butaca**? En invierno, seguro que pasas horas y horas leyendo en la **mecedora** encima de un **cojín** y, en verano, en la **hamaca** de tu jardín, ¿o eres de los que son capaces de estar en las duras **sillas** de las bibliotecas? ¿Qué **asientos** te faltan por probar? ¿La **silla** del dentista? ¿El **banquillo** de los acusados? ¿El **diván** del sicoanalista? ¿El **escaño** de un diputado? ¿La **trona** de un bebé? ¿La **silla de montar** de un caballo? No te preocupes, seguro que tu **sillón** es mucho más cómodo.

Ahora, ¿puedes decirnos el nombre de estos asientos?

15 El sur de España

Andalucía está en el sur de España. Muchos turistas visitan la zona por sus playas, su comida y sus fiestas. La gente del sur es muy simpática y alegre. En ciudades como Sevilla, Málaga o Cádiz verás que las casas de los barrios típicos son de color blanco, también se llaman casas encaladas porque se blanquean con cal. La razón de esta costumbre es muy sencilla: la cal limpia las paredes, reduce el número de insectos y evita las enfermedades. Las casas del sur de Grecia, de Italia y del norte de África también están encaladas y el motivo es el mismo.

Después de leer el texto, ¿son verdaderas (V) o falsas (F) estas frases?

		V	F
1	El sur de España atrae a muchos turistas.		
2	La gente del sur de España es muy seria.		
3	El color blanco atrae a los insectos.		
4	En el sur de Italia también podemos encontrar casas encaladas.		

Sillas, hamacas, sillones, tronos... todos son asientos.

Direcciones en Internet:

Instituto de la Juventud de España: www.mtas.es/injuve

Portal de turismo en España: www.tourspain.es

Portal de diseño: www.designmp.es

setenta y cinco 75

Actividades alternativas

Ñ. Distribuya en grupos a los alumnos para realizar un juego de simulación. Cada grupo escenificará la venta de un piso en la que intervienen uno o dos vendedores y alguno de estos personajes: una pareja de novios, dos compañeras de universidad, tres amigos, etc. Dé tiempo al vendedor para que prepare las frases que probablemente utilizará para describir el piso y, por su parte, los compradores prepararán las preguntas que formularán al vendedor. P. ej.: *Es un piso muy luminoso; ¡Qué bien! ¿Y cuántas habitaciones tiene?*

Mientras los alumnos realizan la actividad, usted deberá estar atento al uso que hacen de los recursos hasta ahora presentados, así como a sus necesidades comunicativas. Al final de la simulación en grupos, puede elegir a un grupo para que escenifique la situación delante de la clase.

O. Proponga a un alumno que esconda un libro por la clase mientras el resto de los compañeros tiene los ojos cerrados. Cuando termine, debe anotar en un papel dónde ha escondido el libro y se lo dará a usted. Los compañeros abrirán los ojos y le harán preguntas, p. ej.: *¿Está encima de la mesa?* Si con las preguntas se acercan al escondite, el alumno en cuestión dirá *caliente*. Si, por el contrario, no se acercan, dirá *frío*. El juego finaliza cuando alguno de los alumnos descubre dónde está escondido el libro.

14. Pregunte a los alumnos si en su país hay algún *asiento* típico. Tenga en cuenta que en algunos países, por ejemplo en las viviendas más tradicionales en los países orientales, no hay ni mesas ni sillas como en las occidentales.

15. Puede indicar que el saber popular atribuye el motivo del color blanco de las casas en Andalucía a que este color refleja los rayos del sol, lo que contribuye a disminuir la temperatura en el interior de las viviendas de esta región tan calurosa de España.

Actividades alternativas

P. Introduzca los aspectos culturales relacionados con la vivienda que considere más relevantes para los alumnos. Por ejemplo: *¿De qué color son las casas en tu país?, ¿Cuál es el estilo arquitectónico más típico de tu país?, ¿Hay alguna vivienda típica de alguna región?*, etc.

No rechace preguntas por el hecho de que no hayan aparecido en clase hasta ahora si a sus alumnos les interesan. Si lo cree oportuno, ayúdeles a formular la pregunta o a responderla en español.

5

leccióncinco5

La aldea global. ¡No te pierdas!

Lección 5 En portada

¿Dónde viven nuestros amigos? Su ciudad es luminosa, alegre y está cerca del mar. ¿Cómo es tu ciudad? ¿Vienes con nosotros a comer a un restaurante típico? ¡Te esperamos!

La aldea global. ¡No te pierdas!

78 setenta y ocho

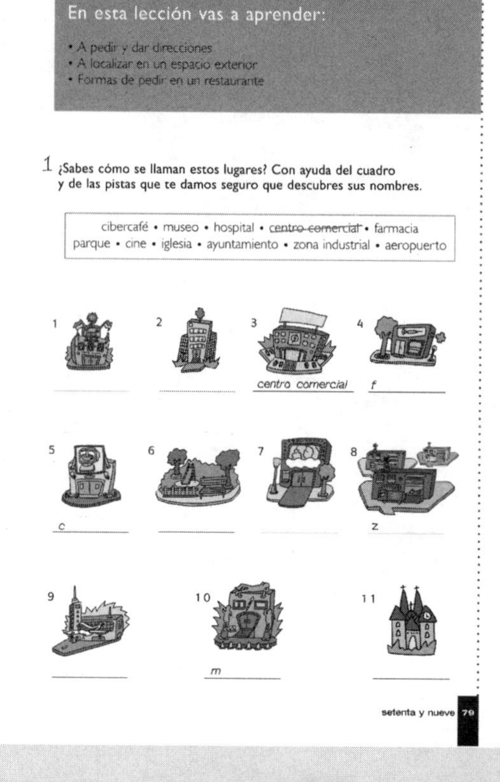
En esta lección vas a aprender:

- A pedir y dar direcciones
- A localizar en un espacio exterior
- Formas de pedir en un restaurante

1 ¿Sabes cómo se llaman estos lugares? Con ayuda del cuadro y de las pistas que te damos seguro que descubres sus nombres.

cibercafé • museo • hospital • ~~centro comercial~~ • farmacia
parque • cine • iglesia • ayuntamiento • zona industrial • aeropuerto

1 ______ 2 ______ 3 centro comercial 4 f______
5 c______ 6 ______ 7 ______ 8 z______
9 ______ 10 m______ 11 ______

setenta y nueve 79

OBJETIVOS

Los objetivos de esta lección son:

- Dotar al alumno de recursos para desenvolverse en situaciones normales en bares, restaurantes…
- Proporcionar recursos básicos para pedir y dar direcciones.
- Conocer los números ordinales.
- Ofrecer instrumentos para referirse a los alimentos.
- Familiarizar al alumno con los adjetivos y pronombres demostrativos.
- Vocabulario de servicios de la ciudad.
- Localizar espacialmente en el exterior con contrastes como *aquí, ahí, allí* o *cerca* y *lejos*.
- Reconocer la irregularidad en presente e→*ie*.

En esta lección se proporcionan al alumno los recursos básicos para desenvolverse en la ciudad, prestando atención a los servicios en el barrio o en una población y al léxico relacionado con la alimentación.

La sistematización de las formas irregulares de presente e→*ie* permite el uso del verbo *preferir* y la oportunidad para que el alumno manifieste preferencias.

En portada 5

1. Actividad de presentación de vocabulario relacionado con la ciudad. Los dibujos del mapa y las palabras parecidas a las de la lengua materna del alumno le servirán para deducir el significado de varias palabras.

Actividades alternativas

A. Proponga a los alumnos que piensen en nombres de ciudades, preferiblemente de países hispanohablantes, con alguna de las siguientes características, p. ej.: con un monumento famoso, con playa, con un museo importante, sin metro, muy turística, muy grande. Puede empezar usted ejemplificando la dinámica de la actividad: *Es una ciudad española donde se celebró la Exposición Universal el año 1992*. Respuesta: *Sevilla*.

Si sus alumnos aprenden rápido, puede organizar esta actividad como un juego de adivinanzas. Un alumno piensa en una ciudad que conozca. Los compañeros, uno a uno, harán preguntas a las que el alumno sólo podrá responder sí / no, p. ej. *¿Tiene catedral?*, *¿Tiene un museo famoso?*, etc. Quien adivine la ciudad de que se trata, responderá a las preguntas de los compañeros.

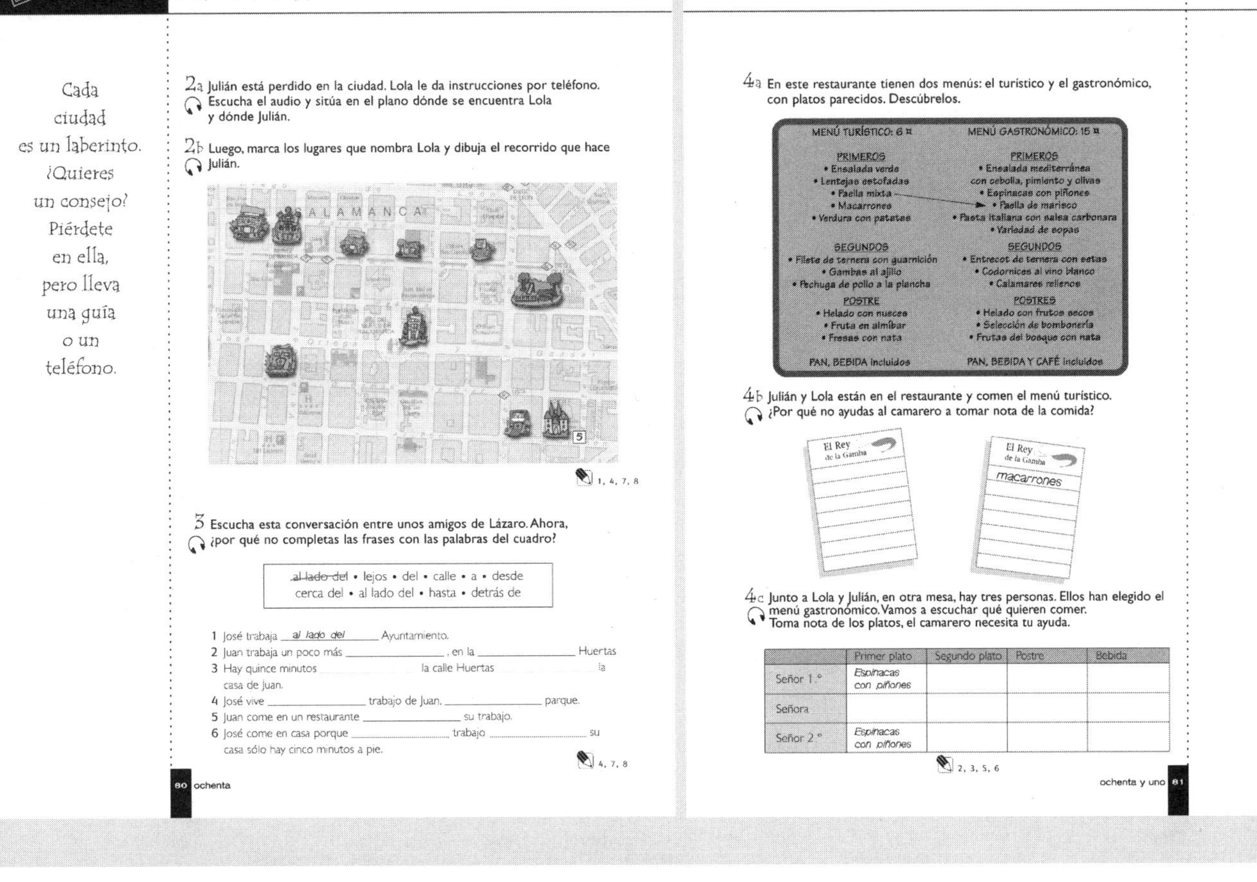

Lección 5 Escenas

Cada ciudad es un laberinto. ¿Quieres un consejo? Piérdete en ella, pero lleva una guía o un teléfono.

2a Julián está perdido en la ciudad. Lola le da instrucciones por teléfono. Escucha el audio y sitúa en el plano dónde se encuentra Lola y dónde Julián.

2b Luego, marca los lugares que nombra Lola y dibuja el recorrido que hace Julián.

1, 4, 7, 8

3 Escucha esta conversación entre unos amigos de Lázaro. Ahora, ¿por qué no completas las frases con las palabras del cuadro?

~~al lado del~~ • lejos • del • calle • a • desde
cerca del • al lado del • hasta • detrás de

1 José trabaja *al lado del* Ayuntamiento.
2 Juan trabaja un poco más ______, en la ______ Huertas
3 Hay quince minutos ______ la calle Huertas ______ la casa de Juan.
4 José vive ______ trabajo de Juan. ______ parque.
5 Juan come en un restaurante ______ su trabajo.
6 José come en casa porque ______ trabajo ______ su casa sólo hay cinco minutos a pie.

4, 7, 8

80 ochenta

4a En este restaurante tienen dos menús: el turístico y el gastronómico, con platos parecidos. Descúbrelos.

MENÚ TURÍSTICO: 6 ¤	MENÚ GASTRONÓMICO: 15 ¤
PRIMEROS • Ensalada verde • Lentejas estofadas • Paella mixta • Macarrones • Verdura con patatas	PRIMEROS • Ensalada mediterránea con cebolla, pimiento y olivas • Espinacas con piñones • Paella de marisco • Pasta italiana con salsa carbonara • Variedad de sopas
SEGUNDOS • Filete de ternera con guarnición • Gambas al ajillo • Pechuga de pollo a la plancha	SEGUNDOS • Entrecot de ternera con setas • Codornices al vino blanco • Calamares rellenos
POSTRE • Helado con nueces • Fruta en almíbar • Fresas con nata	POSTRES • Helado con frutos secos • Selección de bombonería • Frutas del bosque con nata
PAN, BEBIDA incluidos	PAN, BEBIDA Y CAFÉ incluidos

4b Julián y Lola están en el restaurante y comen el menú turístico. ¿Por qué no ayudas al camarero a tomar nota de la comida?

4c Junto a Lola y Julián, en otra mesa, hay tres personas. Ellos han elegido el menú gastronómico. Vamos a escuchar qué quieren comer. Toma nota de los platos, el camarero necesita tu ayuda.

	Primer plato	Segundo plato	Postre	Bebida
Señor 1.°	*Espinacas con piñones*			
Señora				
Señor 2.°	*Espinacas con piñones*			

2, 3, 5, 6

ochenta y uno 81

5 Escenas

2. Anime a los alumnos a que comparen, en parejas, los recorridos que han trazado.

Fije la atención de los alumnos en las fórmulas para indicar direcciones. Le aconsejamos que anote en la pizarra las estructuras más frecuentes, como: *Sigue todo recto hasta...*, *Toma la calle...* o *Pasas por... y giras a la...* A lo largo de la lección se insiste en el uso de estas estructuras.

3. En esta actividad se presentan algunas preposiciones para localizar en un espacio exterior.

4. Para facilitar la audición, puede asegurarse de que los alumnos conocen el vocabulario de comidas que aparece en el audio antes de que lo escuchen. Si lo cree necesario, repase y sistematice los recursos para pedir en un restaurante, para preguntar por la existencia o no de algún plato, etc.

Si lo cree oportuno, muéstrese dispuesto a responder a cualquier curiosidad de los alumnos sobre los platos que aparecen en la actividad. Estimule a los alumnos para que amplíen el vocabulario que aparece en la actividad con el del resto de la lección.

Actividades alternativas

B. Pregunte a los alumnos cómo son sus respectivas ciudades, para que se familiaricen con el vocabulario presentado.

C. Pregunte a los alumnos cómo se va desde la escuela a un determinado lugar, p. ej.: al centro de la ciudad, a un museo, etc. Anímelos a que por parejas se hagan preguntas sobre cómo llegar a un determinado lugar. Aproveche la experiencia de los alumnos para hablar de los lugares de la ciudad que les interesan.

D. Proponga a los alumnos el siguiente juego de roles: los alumnos se dividen en dos grupos, el de los camareros y el de los clientes. Si su clase es numerosa, los que representan el papel de camareros pueden representar diferentes clases de restaurantes. Los clientes eligen el restaurante que más les guste. Entran, saludan, miran el menú y piden al camarero lo que quieren tomar. Los camareros, por su parte, saludan a los clientes, les preguntan qué van a tomar y toman nota de lo que piden. Conviene dar un tiempo a los alumnos para que se preparen el diálogo. Puede pedir a los alumnos que hacen de camareros que escriban en un papel el menú de su restaurante. Después, proceda a la representación en clase de las diferentes escenas.

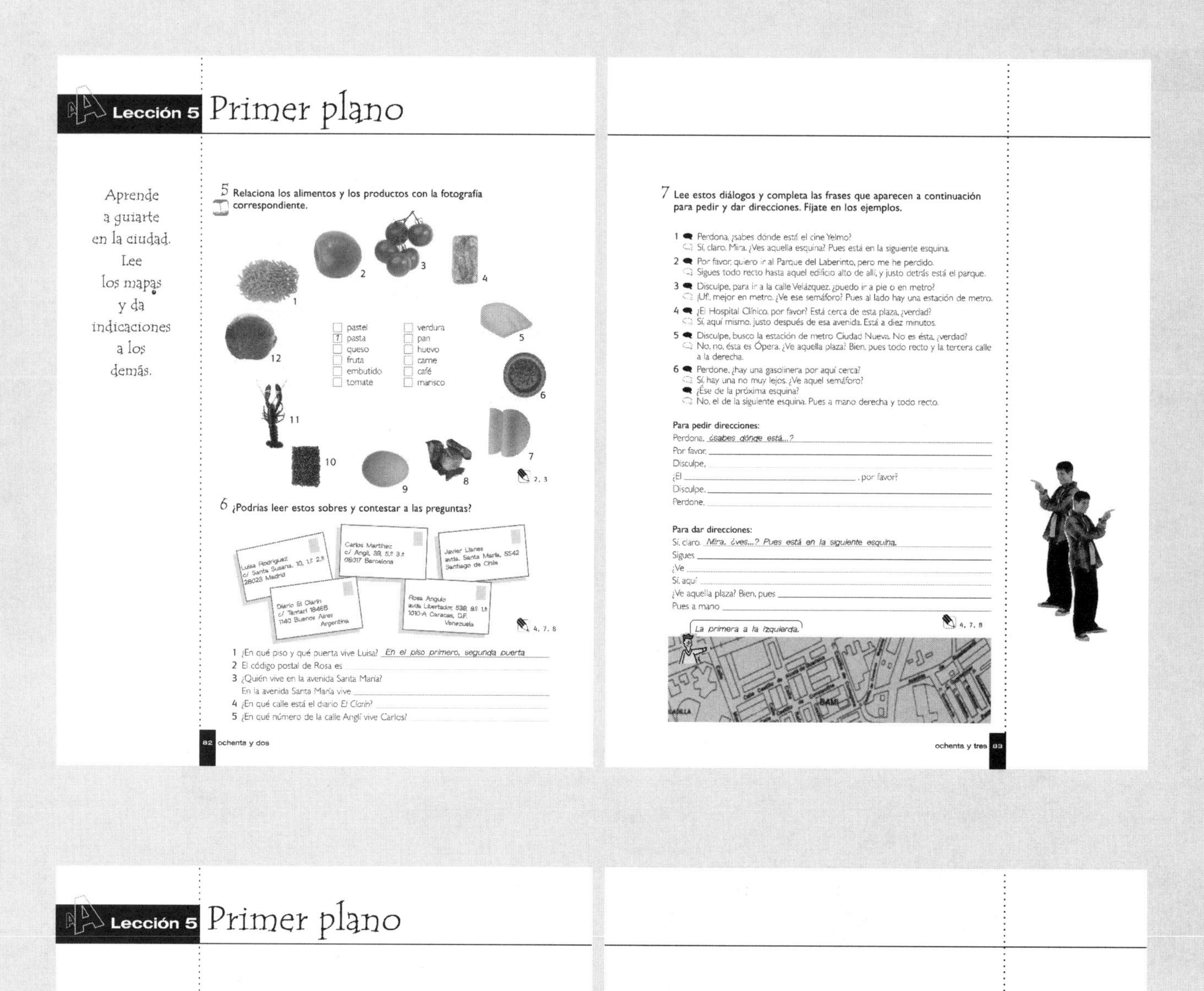

Lección 5 Primer plano

Aprende a guiarte en la ciudad. Lee los mapas y da indicaciones a los demás.

5 Relaciona los alimentos y los productos con la fotografía correspondiente.

- [ ] pastel
- [7] pasta
- [ ] queso
- [ ] fruta
- [ ] embutido
- [ ] tomate
- [ ] verdura
- [ ] pan
- [ ] huevo
- [ ] carne
- [ ] café
- [ ] marisco

2, 3

6 ¿Podrías leer estos sobres y contestar a las preguntas?

4, 7, 8

1 ¿En qué piso y qué puerta vive Luisa? *En el piso primero, segunda puerta*
2 El código postal de Rosa es ....
3 ¿Quién vive en la avenida Santa María?
En la avenida Santa María vive ....
4 ¿En qué calle está el diario *El Clarín*? ....
5 ¿En qué número de la calle Anglí vive Carlos? ....

82 ochenta y dos

7 Lee estos diálogos y completa las frases que aparecen a continuación para pedir y dar direcciones. Fíjate en los ejemplos.

1 — Perdona, ¿sabes dónde está el cine Yelmo?
— Sí, claro. Mira. ¿Ves aquella esquina? Pues está en la siguiente esquina.
2 — Por favor, quiero ir al Parque del Laberinto, pero me he perdido.
— Sigues todo recto hasta aquel edificio alto de allí, y justo detrás está el parque.
3 — Disculpe, para ir a la calle Velázquez, ¿puedo ir a pie o en metro?
— ¡Uf!, mejor en metro. ¿Ve ese semáforo? Pues al lado hay una estación de metro.
4 — ¿El Hospital Clínico, por favor? Está cerca de esta plaza, ¿verdad?
— Sí, aquí mismo, justo después de esa avenida. Está a diez minutos.
5 — Disculpe, busco la estación de metro Ciudad Nueva. No es ésta, ¿verdad?
— No, no, ésta es Ópera. ¿Ve aquella plaza? Bien, pues todo recto y la tercera calle a la derecha.
6 — Perdone, ¿hay una gasolinera por aquí cerca?
— Sí, hay una no muy lejos. ¿Ve aquel semáforo?
— ¿Ése de la próxima esquina?
— No, el de la siguiente esquina. Pues a mano derecha y todo recto.

Para pedir direcciones:
Perdona, *¿sabes dónde está...?*
Por favor, ...
Disculpe, ...
¿El ...., por favor?
Disculpe, ...
Perdone, ...

Para dar direcciones:
Sí, claro. *Mira, ¿ves...? Pues está en la siguiente esquina.*
Sigues ....
¿Ve ....
Sí, aquí ....
¿Ve aquella plaza? Bien, pues ....
Pues a mano ....

4, 7, 8

ochenta y tres 83

Lección 5 Primer plano

Aquí vas a aprender comidas y bebidas. ¿Te apetece algo?

8 ¿Quieres saber dónde está la catedral y el museo de arte moderno? Fíjate en el mapa y completa la nota con las palabras del cuadro.

cerca • semáforo • ~~enfrente de~~ • al lado del • cruce
esquina • a la derecha • plaza • avenida Asturias

Calle Santa Bárbara
Plaza del Sol
Calle Levante
Avenida Asturias
Calle Numancia
MUSEO

Bajas en la estación de metro de Ciudad Nueva. *Enfrente de* la estación está la .... del Sol, y detrás hay un gran centro comercial. ¡Es muy famoso! Bueno, pues vas por la calle Santa Bárbara, cruzas la ...., sigues hasta el siguiente .... y giras .... y ¡ahí está la catedral! ¡Es preciosa!
El museo de arte moderno está muy cerca de la catedral. Bajas la calle Numancia hasta el segundo .... y el museo está justo en la .... de la calle Numancia con la calle Levante. El museo está .... el Café Oriente. ¡Es el café más antiguo de la ciudad!

1, 4, 7, 8

9 Estamos en el bar de la escuela de teatro. Escucha qué piden al camarero e intenta poner el nombre debajo de cada dibujo. ¿Ya está? ¡Perfecto!

1 una jarra de ....
2 una lata de ....
3 un ....
4 un ....
5 una copa de ....
6 una taza de ....
7 una tapa ....
8 un bocadillo ....
9 una bolsa de ....
10 un pincho de ....

2, 3

10a Completa el diálogo con la forma del verbo adecuada y los números ordinales correspondientes.

CAMARERO: ¿Qué va a tomar?
CLIENTE: De (1.º) *primero* el gazpacho de la casa.
CAMARERO: ¿Y qué (querer) .... de (2.º) .... plato?
CLIENTE: Pues... merluza a la plancha.
CAMARERO: Y de postre, ¿qué (preferir) ...., flan o helado de vainilla?
CLIENTE: Pues (preferir) .... el helado.
CAMARERO: ¿Y para beber?
CLIENTE: Para beber (querer) .... el vino de la casa.

5

10b Ahora te será fácil rellenar este cuadro.

	Querer	Preferir
yo		
tú		
él/ella/usted		
nosotros/as	*queremos*	
vosotros/as	*queréis*	
ellos/ellas/ustedes		

3

6. En esta actividad se observan palabras para indicar direcciones particulares y la forma de escribirlas en sobres.

7. Ayude a los alumnos a que observen el diferente tratamiento formal e informal en las formas de pedir y dar direcciones que se recogen en la actividad. Les resultará útil a la hora de saber cómo deben dirigirse a la gente en la calle cuando piden información.
Escenifique en clase la relación entre *este / yo*; *ese / tú*; *aquél / él* con objetos de diferente género y número. Por ejemplo: un libro, una chaqueta, unos papeles y unas gafas. Refiérase a estos objetos variando su posición entre usted, un alumno interlocutor y un tercer alumno. Invite a varios alumnos a que después hagan lo mismo.

8. Pregunte a los alumnos qué hay en el mapa. Anímeles a que formulen frases para describirlo por escrito u oralmente.

9. En esta actividad se presentan algunas medidas y envases frecuentes en el vocabulario de comida y bebida.

10. Anime a dos alumnos a que escenifiquen en clase el diálogo de la actividad. Aproveche también para sistematizar los verbos irregulares en presente *querer* y *preferir*.

Actividades alternativas

E. Proponga a los alumnos la siguiente situación: tienen que imaginarse que están en un bar o en una cafetería y pedir lo que les apetece tomar.

F. Lleve una transparencia de un plano. Proyéctela en la pared, indique un punto de partida, un destino y pida a los alumnos que le indiquen el camino para llegar. Posteriormente, pida a un alumno que salga de clase. El resto de la clase debe ponerse de acuerdo en el destino y en el camino que le indicarán. Cuando vuelva a clase el alumno, éste pregunta a los compañeros por un lugar, p. ej: *¿Hay una parada de autobús por aquí cerca?* Los compañeros le indican el camino y el alumno tiene que llegar al destino acordado.

G. Si está enseñando en un país hispanohablante, pida a los alumnos que salgan a la calle y pregunten a los paseantes por servicios o lugares próximos a su centro de enseñanza. Establezca una hora precisa de regreso y después, en el aula, compruebe por qué lugares han preguntado, qué instrucciones les han dado y qué incidencias han tenido. Puede haber sucedido que los hablantes nativos hayan dado instrucciones con formas gramaticales que no aparecen en esta lección, como en *gerundio* o en *imperativo*.

H. Indique a los alumnos que por parejas localicen en un mapa dónde quieren vivir, dónde quieren trabajar y dónde quieren comer. Después, dígales que se lo cuenten al resto de sus compañeros. Por ejemplo: *Yo vivo en la avenida Asturias. Trabajo en ese edificio tan nuevo. Justo al lado hay un restaurante pequeño pero muy barato donde como todos los días.* Los alumnos pueden formularle preguntas como: *¿Hay algún banco cerca?, ¿Cómo voy a tu casa desde...?, ¿Vives lejos del centro, del trabajo, de la estación, etc.?*
Después, cada alumno puede elegir uno de los edificios que se encuentran en el mapa. Sus compañeros tienen que adivinar cuál es. El alumno en cuestión sólo podrá responder con un sí o con un no. Ejemplo: *Es un edificio muy alto que está muy cerca de una plaza.*

I. Puede repartir entre los alumnos un mismo mapa en el que el alumno A tiene información que le falta a B y el alumno B tiene información que necesita saber A. Por ejemplo, el alumno A sabe dónde está la catedral, la plaza mayor, el puerto, la escuela y el alumno B sabe dónde está el hospital, el centro comercial, el hotel y el mercado.
En parejas, los alumnos deben completar el mapa preguntando al compañero la información que les falta, p. ej.: *¿Dónde está la catedral? ¿Está cerca del mercado?; No, no, está enfrente de la Plaza Mayor.*
Los alumnos pueden formular las preguntas utilizando las formas *tú / usted* según prefieran o según la situación que planteen. Aproveche esta actividad para revisar el contraste entre *hay / está*. Pueden preguntar qué servicios hay en la ciudad.

J. Para practicar las direcciones, proponga a sus alumnos que hagan una lista con el nombre, el apellido y las direcciones de todos los miembros de la clase.

K. Proponga a los alumnos que elaboren por parejas un par de menús distintos con los platos que aparecen en las actividades de esta sección. Las posibilidades son varias, p. ej.: 1.° pasta, 2.° pollo al horno, agua y flan; 1.° arroz, 2.° huevos fritos y patatas fritas, agua y flan; etc. Después, cada uno elegirá el menú que más le guste.

L. Formule estas preguntas a los alumnos para que conversen entre ellos sobre qué prefieren y por qué. *¿Qué prefieres?*
- *¿Estudiar por la mañana, por la tarde o por la noche?*
- *¿Escribir en español o escuchar conversaciones en español?*
- *¿Comer carne, pescado o verdura?*
- *¿Viajar solo, en pareja o en grupo?*
- *¿Estudiar o trabajar?*
- *¿Visitar a la familia o a los amigos?*
- *¿Ir a museos o a discotecas?*
- *¿Leer libros o ver la televisión?*

M. Pregunte a los alumnos si en su ciudad hay algún parque, puerto, hotel o teatro muy conocido y que digan dónde está situado.

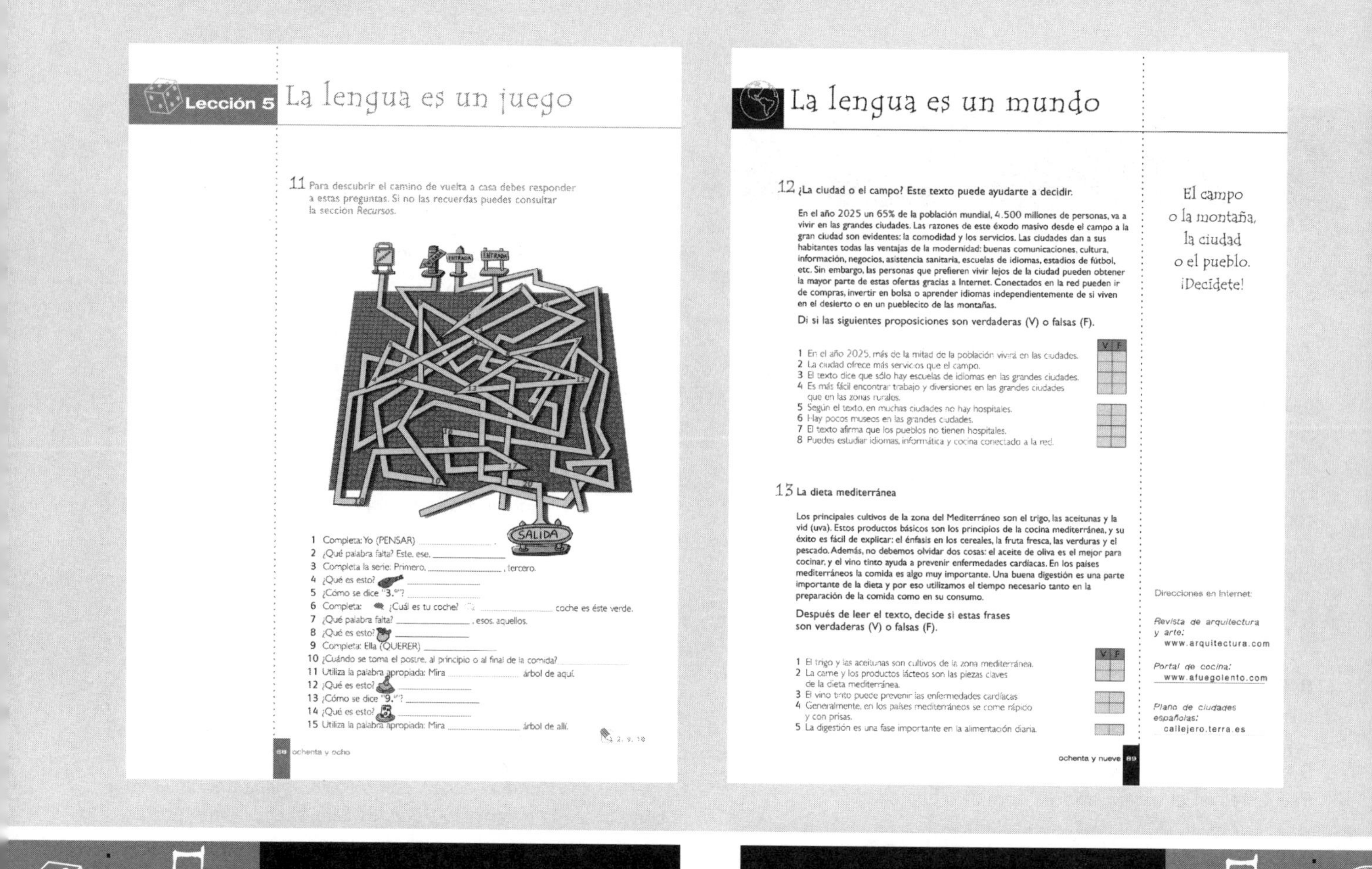

Lección 5 La lengua es un juego

11 Para descubrir el camino de vuelta a casa debes responder a estas preguntas. Si no las recuerdas puedes consultar la seccion *Recursos*.

1 Completa: Yo (PENSAR) ____________ .
2 ¿Qué palabra falta? Este, ese, ____________
3 Completa la serie: Primero, ____________ , tercero.
4 ¿Qué es esto? ____________
5 ¿Cómo se dice "3.º"? ____________
6 Completa: ¿Cuál es tu coche? ____________ coche es éste verde.
7 ¿Qué palabra falta? ____________ , esos, aquellos.
8 ¿Qué es esto? ____________
9 Completa: Ella (QUERER) ____________
10 ¿Cuándo se toma el postre, al principio o al final de la comida? ____________
11 Utiliza la palabra apropiada: Mira ____________ árbol de aquí.
12 ¿Qué es esto? ____________
13 ¿Cómo se dice "9.º"? ____________
14 ¿Qué es esto? ____________
15 Utiliza la palabra apropiada: Mira ____________ árbol de allí.

2, 9, 10

88 ochenta y ocho

La lengua es un mundo

12 ¿La ciudad o el campo? Este texto puede ayudarte a decidir.

En el año 2025 un 65% de la población mundial, 4.500 millones de personas, va a vivir en las grandes ciudades. Las razones de este éxodo masivo desde el campo a la gran ciudad son evidentes: la comodidad y los servicios. Las ciudades dan a sus habitantes todas las ventajas de la modernidad: buenas comunicaciones, cultura, información, negocios, asistencia sanitaria, escuelas de idiomas, estadios de fútbol, etc. Sin embargo, las personas que prefieren vivir lejos de la ciudad pueden obtener la mayor parte de estas ofertas gracias a Internet. Conectados en la red pueden ir de compras, invertir en bolsa o aprender idiomas independientemente de si viven en el desierto o en un pueblecito de las montañas.

Di si las siguientes proposiciones son verdaderas (V) o falsas (F).

	V	F
1 En el año 2025, más de la mitad de la población vivirá en las ciudades.		
2 La ciudad ofrece más servicios que el campo.		
3 El texto dice que sólo hay escuelas de idiomas en las grandes ciudades.		
4 Es más fácil encontrar trabajo y diversiones en las grandes ciudades que en las zonas rurales.		
5 Según el texto, en muchas ciudades no hay hospitales.		
6 Hay pocos museos en las grandes ciudades.		
7 El texto afirma que los pueblos no tienen hospitales.		
8 Puedes estudiar idiomas, informática y cocina conectado a la red.		

El campo o la montaña, la ciudad o el pueblo. ¡Decídete!

13 La dieta mediterránea

Los principales cultivos de la zona del Mediterráneo son el trigo, las aceitunas y la vid (uva). Estos productos básicos son los principios de la cocina mediterránea, y su éxito es fácil de explicar: el énfasis en los cereales, la fruta fresca, las verduras y el pescado. Además, no debemos olvidar dos cosas: el aceite de oliva es el mejor para cocinar, y el vino tinto ayuda a prevenir enfermedades cardíacas. En los países mediterráneos la comida es algo muy importante. Una buena digestión es una parte importante de la dieta y por eso utilizamos el tiempo necesario tanto en la preparación de la comida como en su consumo.

Después de leer el texto, decide si estas frases son verdaderas (V) o falsas (F).

	V	F
1 El trigo y las aceitunas son cultivos de la zona mediterránea.		
2 La carne y los productos lácteos son las piezas claves de la dieta mediterránea.		
3 El vino tinto puede prevenir las enfermedades cardíacas.		
4 Generalmente, en los países mediterráneos se come rápido y con prisas.		
5 La digestión es una fase importante en la alimentación diaria.		

Direcciones en Internet:

Revista de arquitectura y arte: www.arquitectura.com

Portal de cocina: www.afuegolento.com

Plano de ciudades españolas: callejero.terra.es

ochenta y nueve 89

Actividades alternativas

N. Pueden jugar en grupos a hacer una cadena de palabras. Empieza un alumno diciendo una palabra, preferiblemente de las que se han visto en esta lección; el alumno siguiente dirá otra palabra que empiece por la última letra de la palabra anterior, y así sucesivamente. Si no se les ocurre ninguna palabra de la lección, podrán utilizar cualquier palabra vista hasta el momento. Para que el juego resulte más divertido intente que el ritmo no se pare; si un alumno se queda atascado, intente darle una pista o salte el turno. Esta actividad ayudará a los alumnos a repasar el vocabulario de la lección. Al mismo tiempo, es una buena manera de generar un ambiente lúdico en la clase.

Ñ. Proponga a sus alumnos que imaginen que viene a su casa un amigo a pasar unos días. Para preparar la estancia de su amigo, deben escribirle una carta para explicarle cómo es su barrio o ciudad, qué edificios, servicios o monumentos hay, dónde están, qué espectáculos pueden verse, etc. Por ejemplo: *Mi barrio tiene muchas tiendas. También hay un cine al lado de...*

Una variante es pedir que describan por escrito su barrio o su ciudad sin indicar el nombre de la ciudad ni del alumno. Después, los alumnos le entregarán los textos a usted. Debe mezclarlos y repartirlos entre los alumnos para que ellos los lean y adivinen de qué ciudad se trata y quién vive en ella.

1 2. El alumno puede responder a algunas preguntas mediante su conocimiento del mundo, p. ej.: *Los museos acostumbran a estar en el centro de la ciudad.* Puede hacer hincapié en determinados cuantificadores, p. ej.: *En algunos pueblos no hay estación de tren* frente a *muchos* o *la mayoría*.

A partir del texto, si los alumnos lo demandan, puede añadir vocabulario sobre los pueblos o el campo que no haya aparecido hasta el momento.

1 3. Asegúrese de que los alumnos conocen los productos que se mencionan en el texto. Pregúnteles qué productos abundan en sus países, cuáles son los más usados en la cocina y en cuáles se basa su alimentación. Puede insistir, si lo cree oportuno, en las ventajas para la salud atribuidas a la dieta mediterránea.

Actividades alternativas

O. Si lo considera oportuno, aproveche para preguntar si conocen algunos platos típicos de la cultura hispana, de esta forma ampliarán el vocabulario culinario. Ejemplo: *En Cataluña, la butifarra con judías, el pan con tomate* o *la escudella*. Si los alumnos se muestran interesados explíqueles qué ingredientes llevan cada uno de estos platos.

6

lecciónseis6

¡De compras!

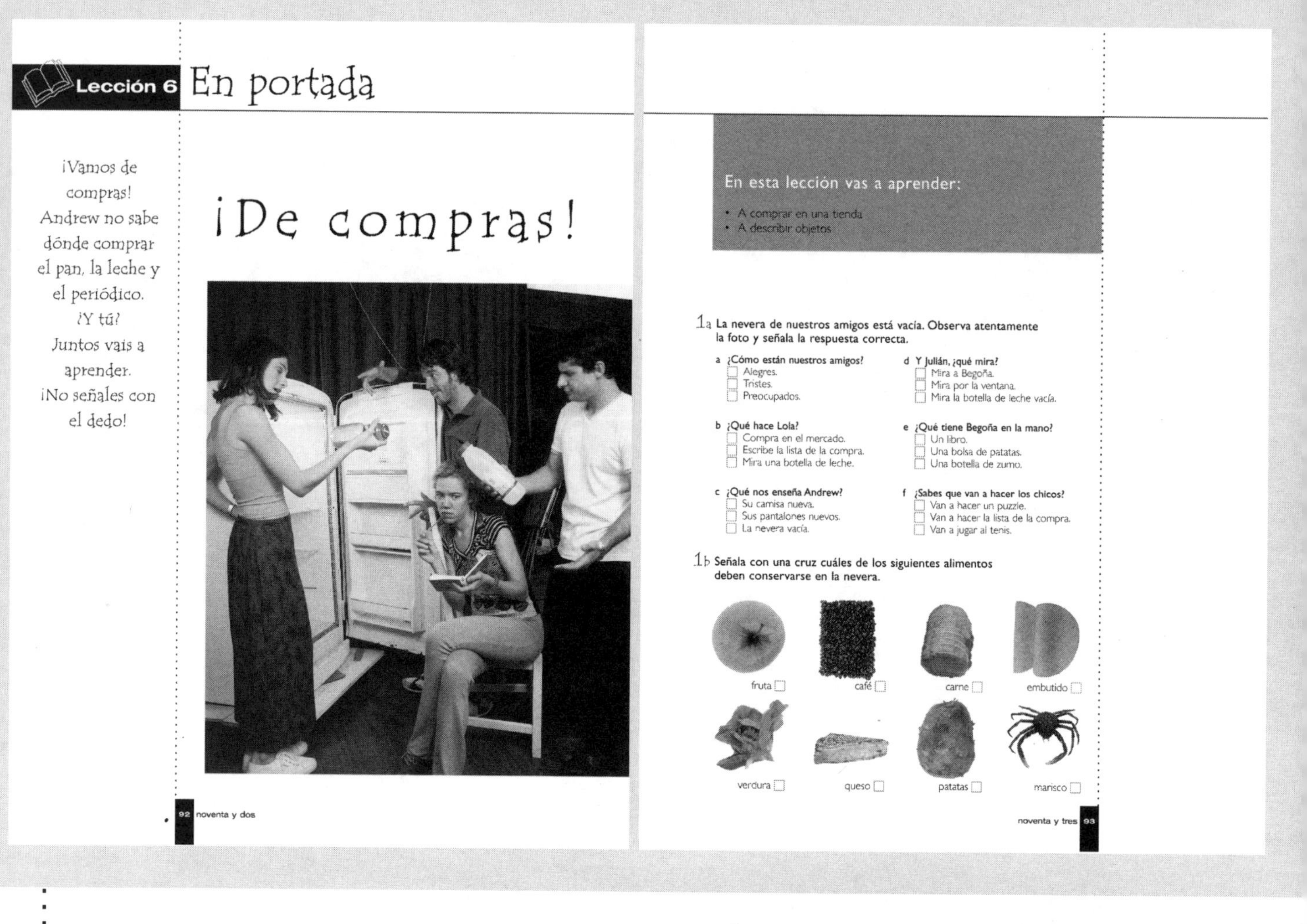

Lección 6 En portada

¡Vamos de compras! Andrew no sabe dónde comprar el pan, la leche y el periódico. ¿Y tú? Juntos vais a aprender. ¡No señales con el dedo!

¡De compras!

En esta lección vas a aprender:

- A comprar en una tienda
- A describir objetos

1a La nevera de nuestros amigos está vacía. Observa atentamente la foto y señala la respuesta correcta.

a ¿Cómo están nuestros amigos?
- [ ] Alegres.
- [ ] Tristes.
- [ ] Preocupados.

b ¿Qué hace Lola?
- [ ] Compra en el mercado.
- [ ] Escribe la lista de la compra.
- [ ] Mira una botella de leche.

c ¿Qué nos enseña Andrew?
- [ ] Su camisa nueva.
- [ ] Sus pantalones nuevos.
- [ ] La nevera vacía.

d Y Julián, ¿qué mira?
- [ ] Mira a Begoña.
- [ ] Mira por la ventana.
- [ ] Mira la botella de leche vacía.

e ¿Qué tiene Begoña en la mano?
- [ ] Un libro.
- [ ] Una bolsa de patatas.
- [ ] Una botella de zumo.

f ¿Sabes que van a hacer los chicos?
- [ ] Van a hacer un puzzle.
- [ ] Van a hacer la lista de la compra.
- [ ] Van a jugar al tenis.

1b Señala con una cruz cuáles de los siguientes alimentos deben conservarse en la nevera.

fruta ☐ café ☐ carne ☐ embutido ☐

verdura ☐ queso ☐ patatas ☐ marisco ☐

92 noventa y dos

noventa y tres 93

OBJETIVOS

Los objetivos de esta lección son:

- Dotar al alumno de recursos para referirse a la ropa y los colores.
- Reconocer el contraste entre *qué* y *cuál*.
- Proporcionar recursos básicos para comparar.
- Capacitar al alumno para usar los números mayores de 100.
- Familiarizar al alumno con vocabulario de envases, pesos y medidas.
- Conocer vocabulario relativo a tiendas.
- Conocer los superlativos más frecuentes.
- Conocer el uso de los pronombres de complemento directo.

En esta lección se ofrecen recursos básicos para desenvolverse en situaciones de compra y venta habituales en la vida cotidiana, como pedir el precio, describir objetos o compararlos.

1. Las preguntas van dirigidas a facilitar la descripción de la imagen. Puede invitar a sus alumnos a que continúen describiendo la foto. Proporcióneles el vocabulario que quieran conocer.

Actividades alternativas

A. Puede preguntar a sus alumnos qué alimentos pueden necesitar los chicos de la foto. Así, revisarán el vocabulario de alimentos visto en la lección anterior. Después, presente nombres de tiendas o secciones del supermercado donde tienen que dirigirse los chicos para comprar esos productos (*frutería, pescadería, huevería, carnicería*, etc.). Saque partido de las aportaciones de los alumnos. Anímelos a que reutilicen el vocabulario presentado en lecciones anteriores (como, por ejemplo, vocabulario de acciones: *comprar, pasear, mirar*, etc.).

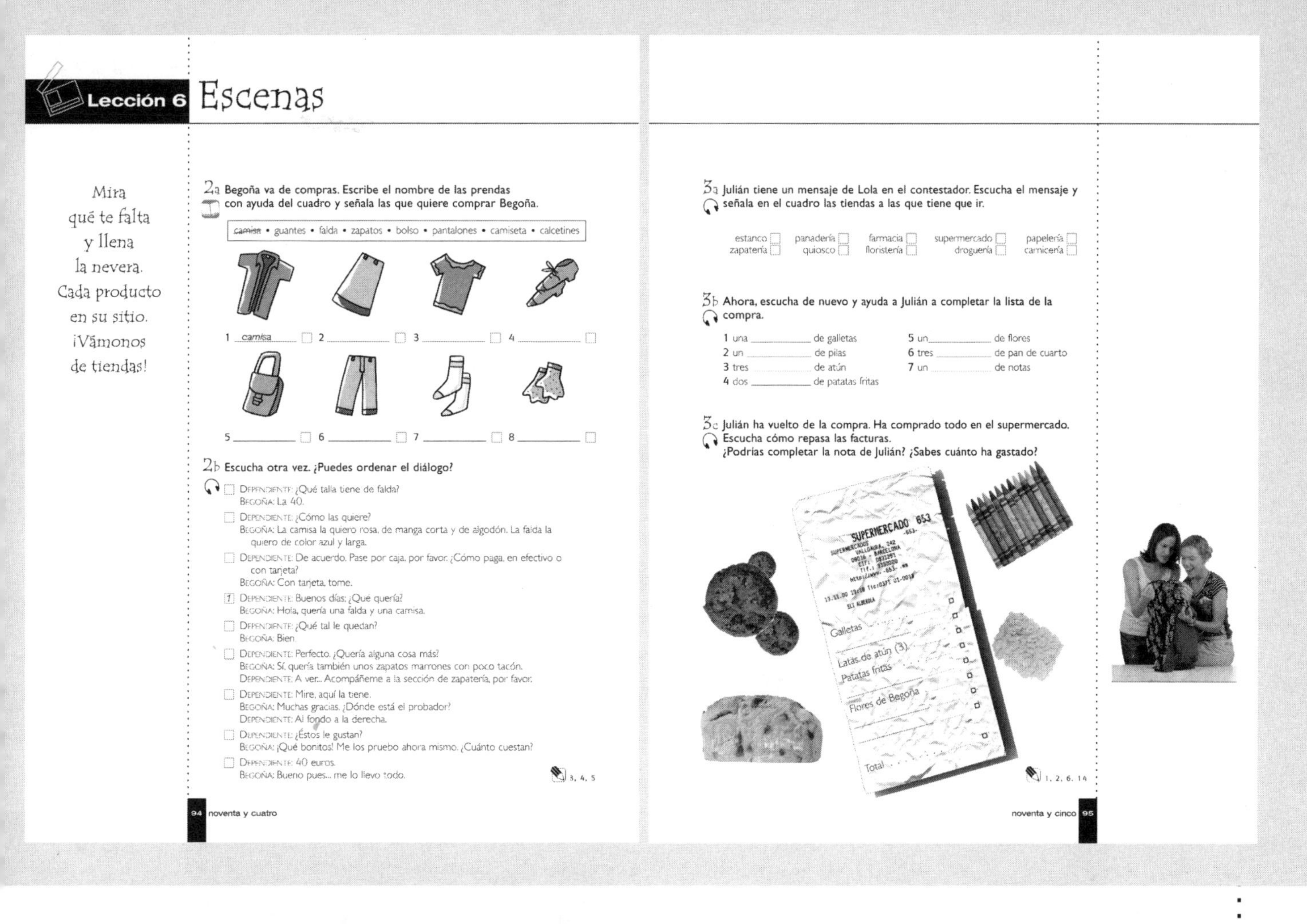

Lección 6 Escenas

Mira qué te falta y llena la nevera. Cada producto en su sitio. ¡Vámonos de tiendas!

2a Begoña va de compras. Escribe el nombre de las prendas con ayuda del cuadro y señala las que quiere comprar Begoña.

~~camisa~~ • guantes • falda • zapatos • bolso • pantalones • camiseta • calcetines

1 camisa ☐ 2 ______ ☐ 3 ______ ☐ 4 ______ ☐

5 ______ ☐ 6 ______ ☐ 7 ______ ☐ 8 ______ ☐

2b Escucha otra vez. ¿Puedes ordenar el diálogo?

☐ Dependiente: ¿Qué talla tiene de falda?
Begoña: La 40.

☐ Dependiente: ¿Cómo las quiere?
Begoña: La camisa la quiero rosa, de manga corta y de algodón. La falda la quiero de color azul y larga.

☐ Dependiente: De acuerdo. Pase por caja, por favor. ¿Cómo paga, en efectivo o con tarjeta?
Begoña: Con tarjeta, tome.

1 Dependiente: Buenos días: ¿Qué quería?
Begoña: Hola, quería una falda y una camisa.

☐ Dependiente: ¿Qué tal le quedan?
Begoña: Bien.

☐ Dependiente: Perfecto. ¿Quería alguna cosa más?
Begoña: Sí, quería también unos zapatos marrones con poco tacón.
Dependiente: A ver... Acompáñeme a la sección de zapatería, por favor.

☐ Dependiente: Mire, aquí la tiene.
Begoña: Muchas gracias. ¿Dónde está el probador?
Dependiente: Al fondo a la derecha.

☐ Dependiente: ¿Éstos le gustan?
Begoña: ¡Qué bonitos! Me los pruebo ahora mismo. ¿Cuánto cuestan?

☐ Dependiente: 40 euros.
Begoña: Bueno pues... me lo llevo todo.

3, 4, 5

94 noventa y cuatro

3a Julián tiene un mensaje de Lola en el contestador. Escucha el mensaje y señala en el cuadro las tiendas a las que tiene que ir.

estanco ☐ panadería ☐ farmacia ☐ supermercado ☐ papelería ☐
zapatería ☐ quiosco ☐ floristería ☐ droguería ☐ carnicería ☐

3b Ahora, escucha de nuevo y ayuda a Julián a completar la lista de la compra.

1 una ______ de galletas
2 un ______ de pilas
3 tres ______ de atún
4 dos ______ de patatas fritas
5 un ______ de flores
6 tres ______ de pan de cuarto
7 un ______ de notas

3c Julián ha vuelto de la compra. Ha comprado todo en el supermercado. Escucha cómo repasa las facturas.
¿Podrías completar la nota de Julián? ¿Sabes cuánto ha gastado?

SUPERMERCADO 653
Galletas
Latas de atún (3)
Patatas fritas
Flores de Begoña
Total

1, 2, 6, 14

noventa y cinco 95

6 Escenas

2. Aproveche el diálogo para fijar las estructuras propias para comprar y vender prendas de ropa, p. ej.: *Buenos días, ¿qué quería?; Hola, quería una falda y una camisa; ¿Qué talla tiene?;* etc. Destaque la importancia de palabras como *talla, precio, probador,* pagar *con tarjeta,* pagar *en efectivo, sección, caja,* etc. Haga notar a los alumnos la presencia de los pronombres en función de complemento directo a partir de los ejemplos que proporciona el diálogo, p. ej.: *¿Cómo las quiere?; La quiero...;* etc.

Ayude a los alumnos a que deduzcan la función de los pronombres. Después anime a los alumnos a que reproduzcan el diálogo que tiene lugar en la audición, pero haciendo referencia a otro tipo de objetos y prendas, de manera que los pronombres varíen en función del género y del número. Por ejemplo: en lugar de comprar *una falda, una camisa y unos zapatos,* compre *unos pantalones, un jersey y unas botas.*

3a. Actividad para practicar el vocabulario de nombres de tiendas. Los alumnos probablemente ya conozcan alguno. En este caso, motívelos para que se ayuden entre ellos.

También puede pedir a los alumnos que piensen en cinco objetos diferentes que es posible encontrar en cada una de las tiendas que aparecen en el ejercicio, p. ej.: en el estanco, sellos y sobres; en la droguería, pintura, etc. Luego, se pueden poner las listas en común.

3b. Esta actividad proporciona al alumno vocabulario de cantidades, medidas y envases. Si lo considera oportuno, amplíe la lista. Si existe la posibilidad, anime a los alumnos a comparar sistemas de medida de diferentes países.

3c. En esta actividad los alumnos practican tanto los números como las diferentes medidas y envases. Pregúnteles si ellos, al igual que Julián, también repasan los tiquets de la compra. Destaque la alternancia *cien-ciento,* la ausencia de la conjunción *y* entre la centena y la decena, y entre el millar y la centena.

Actividades alternativas

B. Proponga a los alumnos que piensen en lo que tienen que comprar hoy. Después, con su compañero, uno le dice al otro lo que tiene que comprar y los dos hacen una lista de la compra.

C. Aproveche las audiciones para formular preguntas a los alumnos acerca de sus hábitos para comprar: *¿dónde van a comprar?, ¿con quién?, ¿cuándo?, ¿cómo?, ¿qué suelen comprar?,* etc. Probablemente los alumnos tendrán hábitos diferentes. Anímelos a que justifiquen sus opiniones y a que discutan entre ellos.

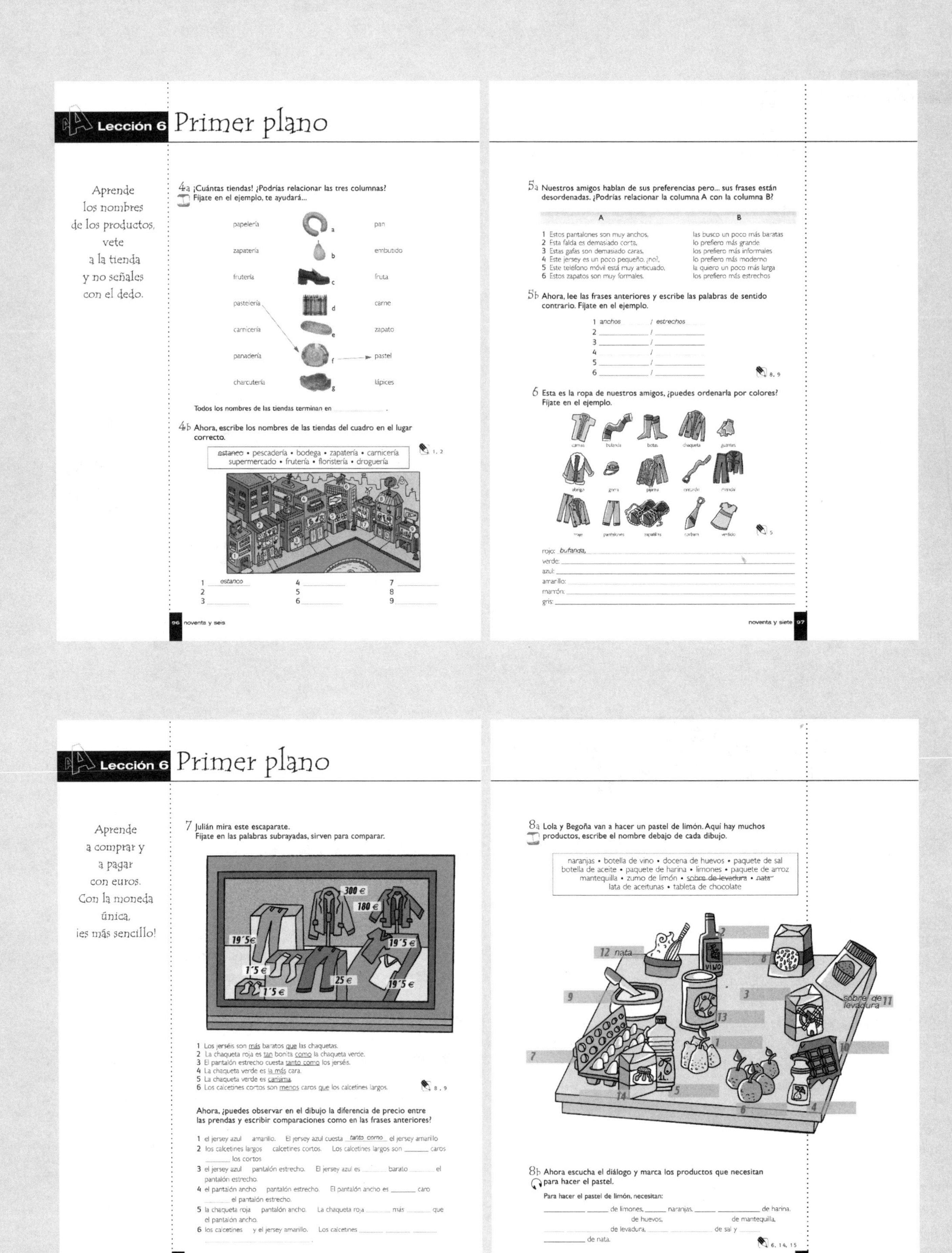

Lección 6 Primer plano

Aprende los nombres de los productos, vete a la tienda y no señales con el dedo.

4a ¡Cuántas tiendas! ¿Podrías relacionar las tres columnas? Fíjate en el ejemplo, te ayudará...

papelería	a	pan
zapatería	b	embutido
frutería	c	fruta
pastelería	d	carne
carnicería	e	zapato
panadería	f	pastel
charcutería	g	lápices

Todos los nombres de las tiendas terminan en ……………… .

4b Ahora, escribe los nombres de las tiendas del cuadro en el lugar correcto.

~~estanco~~ • pescadería • bodega • zapatería • carnicería
supermercado • frutería • floristería • droguería

1, 2

1 *estanco* 4 ……… 7 ………
2 ……… 5 ……… 8 ………
3 ……… 6 ……… 9 ………

5a Nuestros amigos hablan de sus preferencias pero... sus frases están desordenadas. ¿Podrías relacionar la columna A con la columna B?

A	B
1 Estos pantalones son muy anchos,	las busco un poco más baratas
2 Esta falda es demasiado corta,	lo prefiero más grande
3 Estas gafas son demasiado caras,	los prefiero más informales
4 Este jersey es un poco pequeño, ¿no?,	lo prefiero más moderno
5 Este teléfono móvil está muy anticuado,	la quiero un poco más larga
6 Estos zapatos son muy formales.	los prefiero más estrechos

5b Ahora, lee las frases anteriores y escribe las palabras de sentido contrario. Fíjate en el ejemplo.

1 *anchos* / *estrechos*
2 ……… / ………
3 ……… / ………
4 ……… / ………
5 ……… / ………
6 ……… / ………

8, 9

6 Esta es la ropa de nuestros amigos, ¿puedes ordenarla por colores? Fíjate en el ejemplo.

camisa · bufanda · botas · chaqueta · guantes
abrigo · gorra · pijama · cinturón · chándal
traje · pantalones · zapatillas · corbata · vestido

5

rojo: *bufanda,* ………
verde: ………
azul: ………
amarillo: ………
marrón: ………
gris: ………

Lección 6 Primer plano

Aprende a comprar y a pagar con euros. Con la moneda única, ¡es más sencillo!

7 Julián mira este escaparate. Fíjate en las palabras subrayadas, sirven para comparar.

1 Los jerséis son más baratos que las chaquetas.
2 La chaqueta roja es tan bonita como la chaqueta verde.
3 El pantalón estrecho cuesta tanto como los jerséis.
4 La chaqueta verde es la más cara.
5 La chaqueta verde es carísima.
6 Los calcetines cortos son menos caros que los calcetines largos.

8, 9

Ahora, ¿puedes observar en el dibujo la diferencia de precio entre las prendas y escribir comparaciones como en las frases anteriores?

1 el jersey azul amarillo. El jersey azul cuesta *tanto como* el jersey amarillo
2 los calcetines largos calcetines cortos. Los calcetines largos son ……… caros ……… los cortos
3 el jersey azul pantalón estrecho. El jersey azul es ……… barato ……… el pantalón estrecho.
4 el pantalón ancho pantalón estrecho. El pantalón ancho es ……… caro ……… el pantalón estrecho.
5 la chaqueta roja pantalón ancho. La chaqueta roja ……… más ……… que el pantalón ancho.
6 los calcetines y el jersey amarillo. Los calcetines ……… ……… ……… ……… .

8a Lola y Begoña van a hacer un pastel de limón. Aquí hay muchos productos, escribe el nombre debajo de cada dibujo.

naranjas • botella de vino • docena de huevos • paquete de sal
botella de aceite • paquete de harina • limones • paquete de arroz
mantequilla • zumo de limón • ~~sobre de levadura~~ • ~~nata~~
lata de aceitunas • tableta de chocolate

8b Ahora escucha el diálogo y marca los productos que necesitan para hacer el pastel.

Para hacer el pastel de limón, necesitan:

……… ……… de limones, ……… naranjas, ……… ……… de harina, ……… de huevos, ……… de mantequilla, ……… ……… de levadura, ……… ……… de sal y ……… ……… de nata.

6, 14, 15

4. Destaque que muchos nombres de tienda, y en el ejercicio todos, tienen la terminación *–ería* añadida al nombre del producto. Puede ampliar la lista con otros nombres de productos para que formen el nombre de la tienda, como *flores, floristería; verdura, verdulería; huevos, huevería; libros, librería;* etc.

Sugiera a sus alumnos que comparen su respuesta con la del compañero. Invíteles a pensar en otros objetos o alimentos que se pueden comprar en estas tiendas. Por ejemplo: *En la droguería venden perfume, colonia, champú,* etc.

5. Amplíe el vocabulario de las prendas de ropa si lo considera oportuno preguntando a sus alumnos qué otras palabras les interesa conocer. También puede ampliar el vocabulario de ropa añadiendo el vocabulario de los tejidos más habituales: *algodón, lana, lino, fibra, plástico, cuero, piel...* y relacionarlo con las distintas prendas de vestir, p. ej.: *Una camiseta de algodón, una corbata de seda,* etc. También puede destacar características de las prendas, como *ancho, estrecho, cómodo, largo, corto,* etc.

6. Destaque que los colores *verde, azul* y *gris* no tienen flexión de género.

Actividades alternativas

D. Si está enseñando en un país hispanohablante, anime a los alumnos a explicar qué tipos de tiendas hay en sus países que aquí no existen, o qué tiendas hay aquí que les hayan llamado la atención. Pregúnteles también cuál es su tienda preferida.

E. Para practicar vocabulario de ropa y objetos, formule estas preguntas a sus alumnos:
- *Marta cena en casa de unos amigos: ¿qué lleva?;*
- *Jaime va a ir a una fiesta muy elegante: ¿cómo se viste?;*
- *Julia va a hacer un safari: ¿qué compra?,* etc.

F. Puede llevar al aula cartulinas con fotografías grandes de distintos objetos. Muestre los objetos uno a uno, pregunte por su nombre y pregunte en qué tienda se pueden comparar.

G. Elija a dos estudiantes que vistan de forma diferente, es decir, *falda larga / corta; jersey ancho / estrecho; zapatos de tacón / planos...* Colóquelos delante de la clase y pida a los compañeros que comparen su modo de vestir. Puede empezar usted mismo diciendo: *X lleva más anillos que Y.*

H. Anime a los alumnos a que en grupos se pregunten el precio de algunos productos, p. ej.: *una entrada de un concierto, un bonobús de diez viajes, una barra de pan, un diario, un paquete de tabaco, una hamburguesa, una docena de huevos, un refresco de cola...*

Esta es una actividad muy productiva con estudiantes de diferentes nacionalidades. En este caso, haga que cotejen sus respuestas ente ellos y comparen precios después de convertir todos los precios a la misma moneda. Puede informar del precio de alguno de estos productos en España o en un país latinoamericano. Por ejemplo: *En Madrid, un abono de diez viajes de autobús cuesta ... euros. ¡Oh! En Río es más caro, cuesta...*

I. Puede llevar a clase fotografías de personas vestidas de forma diferente para destacar el vocabulario de prendas que quieran saber los alumnos.

J. Proponga a los alumnos que se sitúen frente a su compañero, observen cómo va vestido y memoricen la ropa y los objetos que lleva. Si no saben cómo se dice algún objeto, pueden preguntárselo a usted. Si lo cree oportuno, puede elegir al miembro de la clase que lleve el mayor número de complementos: pendientes, pulseras, anillos, pañuelo, algo en el pelo,... y usted debe intentar que sean los propios alumnos los que vayan nombrando y describiendo todo lo que lleva puesto. Si los alumnos no lo saben, usted deberá facilitar el léxico. Durante la realización de la actividad es aconsejable que se pasee por el aula para escuchar cómo pronuncian los alumnos y para resolver sus dudas.

Pasados unos minutos, los alumnos se pondrán espalda contra espalda respecto a su compañero y dirán en voz alta cómo va vestido hoy. Los alumnos deben intentar recordar el máximo de prendas posible. Ejemplo: *Llevas unos pantalones azules, una camiseta blanca, no, no, roja, es roja, y en el cuello... ¿cómo se llama? Ah, sí, un collar azul. Los zapatos y los calcetines son marrones.*

K. Escriba en la pizarra estas palabras: *caja, paquete, lata, bolsa, bote*. Los alumnos deberán decir el nombre de distintos productos y usted los irá colocando en la columna correspondiente según su envase. Los alumnos pueden ayudarse del diccionario o preguntarle a usted en el caso que desconozcan el nombre.

L. Para ampliar el vocabulario de productos, empiece usted la frase: *Para comprar sellos, voy al...* y pida a los alumnos que la completen. Cuando responda el alumno, él mismo continuará con un compañero. Si ve que algún estudiante se queda en blanco, ayúdele dándole la primera letra de la palabra.

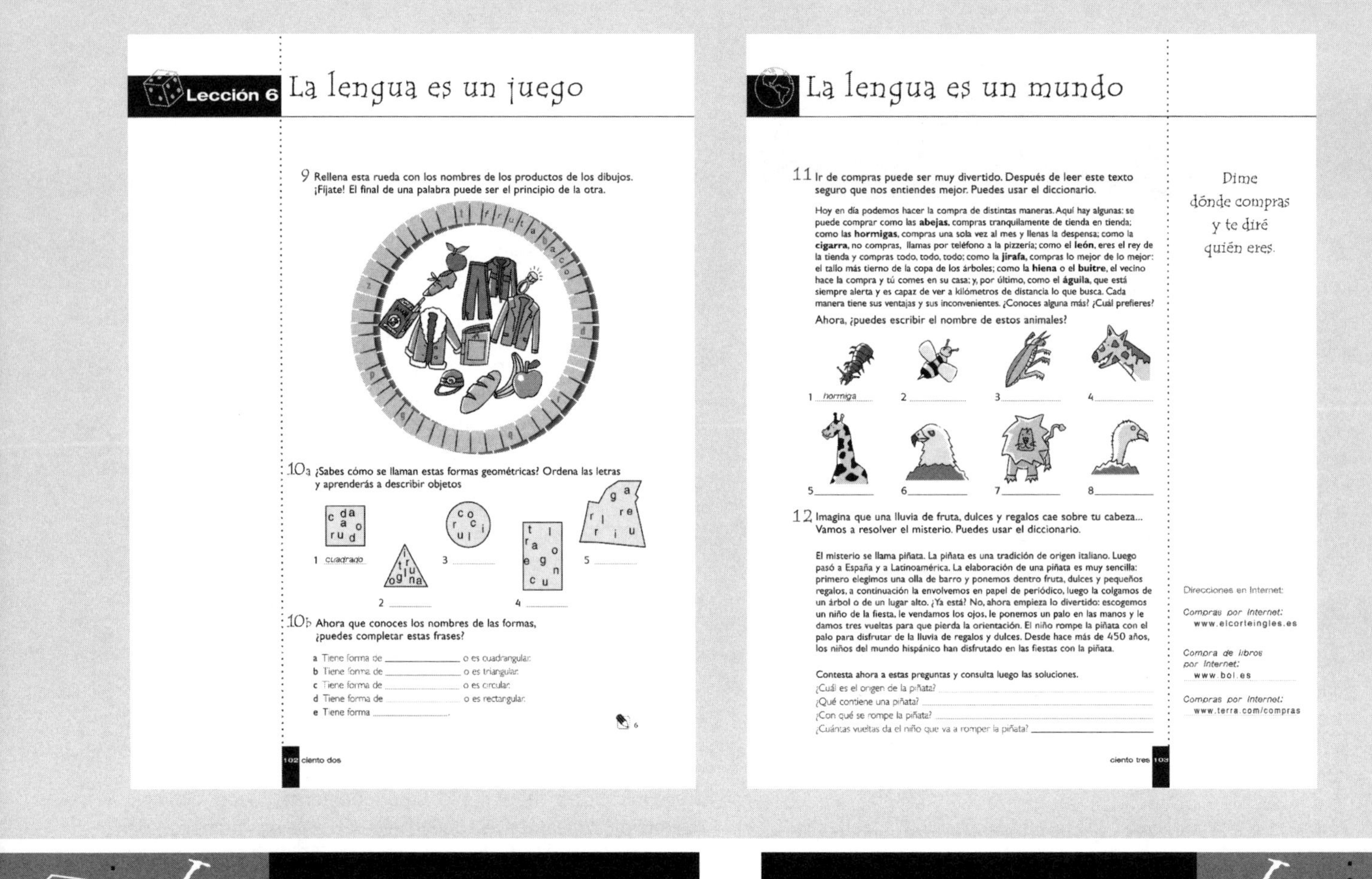
Lección 6 La lengua es un juego

9 Rellena esta rueda con los nombres de los productos de los dibujos. ¡Fíjate! El final de una palabra puede ser el principio de la otra.

1 f r u t a b a c o

10a ¿Sabes cómo se llaman estas formas geométricas? Ordena las letras y aprenderás a describir objetos

1 cuadrado
2 ______
3 ______
4 ______
5 ______

10b Ahora que conoces los nombres de las formas, ¿puedes completar estas frases?

a Tiene forma de ______ o es cuadrangular.
b Tiene forma de ______ o es triangular.
c Tiene forma de ______ o es circular.
d Tiene forma de ______ o es rectangular.
e Tiene forma ______.

102 ciento dos

La lengua es un mundo

11 Ir de compras puede ser muy divertido. Después de leer este texto seguro que nos entiendes mejor. Puedes usar el diccionario.

Hoy en día podemos hacer la compra de distintas maneras. Aquí hay algunas: se puede comprar como las **abejas**, compras tranquilamente de tienda en tienda; como las **hormigas**, compras una sola vez al mes y llenas la despensa; como la **cigarra**, no compras, llamas por teléfono a la pizzería; como el **león**, eres el rey de la tienda y compras todo, todo, todo; como la **jirafa**, compras lo mejor de lo mejor: el tallo más tierno de la copa de los árboles; como la **hiena** o el **buitre**, el vecino hace la compra y tú comes en su casa; y, por último, como el **águila**, que está siempre alerta y es capaz de ver a kilómetros de distancia lo que busca. Cada manera tiene sus ventajas y sus inconvenientes. ¿Conoces alguna más? ¿Cuál prefieres?

Ahora, ¿puedes escribir el nombre de estos animales?

1 hormiga 2 ______ 3 ______ 4 ______
5 ______ 6 ______ 7 ______ 8 ______

12 Imagina que una lluvia de fruta, dulces y regalos cae sobre tu cabeza... Vamos a resolver el misterio. Puedes usar el diccionario.

El misterio se llama piñata. La piñata es una tradición de origen italiano. Luego pasó a España y a Latinoamérica. La elaboración de una piñata es muy sencilla: primero elegimos una olla de barro y ponemos dentro fruta, dulces y pequeños regalos, a continuación la envolvemos en papel de periódico, luego la colgamos de un árbol o de un lugar alto. ¿Ya está? No, ahora empieza lo divertido: escogemos un niño de la fiesta, le vendamos los ojos, le ponemos un palo en las manos y le damos tres vueltas para que pierda la orientación. El niño rompe la piñata con el palo para disfrutar de la lluvia de regalos y dulces. Desde hace más de 450 años, los niños del mundo hispánico han disfrutado en las fiestas con la piñata.

Contesta ahora a estas preguntas y consulta luego las soluciones.
¿Cuál es el origen de la piñata? ______
¿Qué contiene una piñata? ______
¿Con qué se rompe la piñata? ______
¿Cuántas vueltas da el niño que va a romper la piñata? ______

Dime dónde compras y te diré quién eres.

Direcciones en Internet:
Compras por Internet: www.elcorteingles.es
Compra de libros por Internet: www.bol.es
Compras por Internet: www.terra.com/compras

ciento tres 103

Actividades alternativas

M. Proponga a los alumnos representar en clase una escena de compras en tiendas. Cada estudiante decide si quiere ser comprador o vendedor. Los que se deciden por hacer de vendedores, eligen qué tienda quieren simular. Pueden decorarlas o poner algún cartel indicando una oferta. Todos los estudiantes se preparan para hacer su papel: es decir, pensarán en las estructuras y el vocabulario que probablemente usarán.
La escenificación debe llevarse a cabo del siguiente modo: los clientes van en parejas a las tiendas para comprar. Usted puede proporcionarles cartulinas con distintos objetos dibujados o bien dibújelos en la pizarra (libreta, libro, revista, una caja de puros, unas pastas de té, una botella de refresco, unos pañales, etc.) y fotocopias de billetes para que la representación sea más divertida.
Después usted deberá revisar qué han comprado y qué han vendido los alumnos en cada sitio, así como a quién y a qué precio. Pregunte a los alumnos si han tenido alguna dificultad en la realización de la actividad y comente lo que sea necesario al respecto.

N. El juego del ahorcado es útil para fijar vocabulario. Puede empezar usted mismo pensando en un nombre de tienda para que los alumnos vayan diciendo vocales y consonantes hasta descubrir la palabra en cuestión. Después, puede salir algún alumno a la pizarra.

1 1. Pida a los alumnos que no intenten ser exhaustivos en la comprensión del texto. Basta con una lectura no detallada con el propósito de lograr entender la idea general. Puede resultar divertido contabilizar el número de alumnos que se sienten identificados con cada animal para ver qué hábitos de compra son los más comunes entre ellos.

1 2. Pregunte a los alumnos si conocían esta costumbre. Invíteles a explicar si hay celebraciones parecidas en sus países. También puede animarles a que busquen información sobre celebraciones españolas o hispanoamericanas para hacer después una puesta en común en clase.

Actividades alternativas

Ñ. Si está enseñando en un país hispanohablante, pida a sus alumnos que vayan al mercado más próximo a la escuela y paseen por él tomando nota de nombres de productos y de su precio. Puede pedirles que lleven una plantilla con cinco categorías y que rellenen cada una con el nombre de tres productos y su precio. Las categorías pueden ser *carne*, *fruta*, *verdura*, *pescado*, etc. Después, haga una puesta en común de los productos y los precios que han visto los alumnos. Así, recuperará el léxico referido a la comida de la Lección 5, y lo relacionará con los nombres de tiendas, los números y las estructuras comparativas.

7

lecciónsiete7

Despierta, despierta.

Los días y las horas

Lección 7 En portada

Comienza un nuevo día. ¿Qué vas a hacer hoy? Salta de la cama y prepárate para tus citas. Pero recuerda que nosotros te esperamos a cualquier hora.

Despierta, despierta. Los días y las horas

110 ciento diez

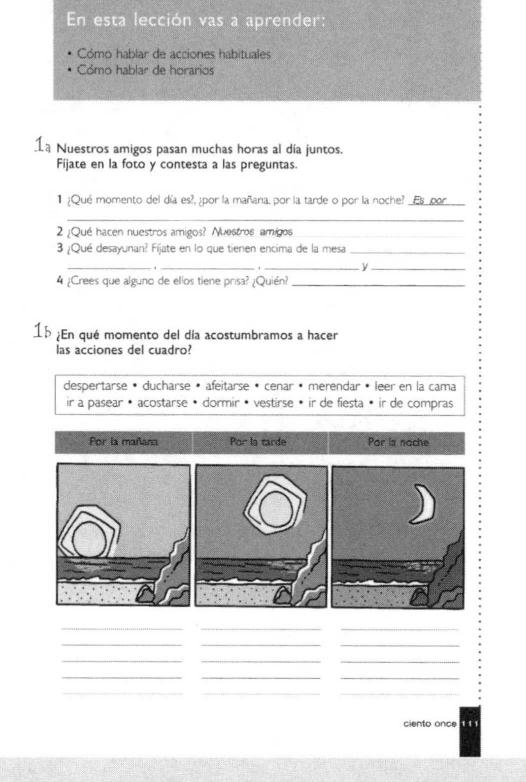

En esta lección vas a aprender:

- Cómo hablar de acciones habituales
- Cómo hablar de horarios

1a Nuestros amigos pasan muchas horas al día juntos. Fíjate en la foto y contesta a las preguntas.

1 ¿Qué momento del día es?, ¿por la mañana, por la tarde o por la noche? *Es por* ______

2 ¿Qué hacen nuestros amigos? *Nuestros amigos* ______

3 ¿Qué desayunan? Fíjate en lo que tienen encima de la mesa ______, ______, ______ y ______

4 ¿Crees que alguno de ellos tiene prisa? ¿Quién? ______

1b ¿En qué momento del día acostumbramos a hacer las acciones del cuadro?

despertarse • ducharse • afeitarse • cenar • merendar • leer en la cama
ir a pasear • acostarse • dormir • vestirse • ir de fiesta • ir de compras

Por la mañana	Por la tarde	Por la noche

ciento once 111

OBJETIVOS

Los objetivos de esta lección son:

- Intercambiar información sobre las acciones cotidianas y la rutina diaria.
- Conocer la forma *estar* + *gerundio*.
- Dotar al alumno de recursos para referirse a la hora y hablar de horarios.
- Reconocer los verbos pronominales más usuales, como *despertarse*, *lavarse*, etc.
- Proporcionar recursos básicos para establecer referencias temporales.
- Ofrecer instrumentos para hablar de frecuencia.
- Familiarizar al alumno con la irregularidad en presente e→*i* y también *–go*.

Cuando el alumno aprende estos recursos, se siente seguro de utilizar el español para hablar de acciones cotidianas de su vida y las situaciones más próximas a su realidad más inmediata.

1 a. Proponga a los alumnos que hagan una descripción de la escena de la fotografía. Puede preguntarles dónde están, cómo van vestidos, qué momento del día es, qué hacen y qué desayunan. Ésta es una buena ocasión para repasar el vocabulario de la ropa e introducir aquellos términos nuevos que sean necesarios.

1 b. Facilite la comprensión del vocabulario de las acciones invitando a sus alumnos a preguntarse en pequeños grupos, consultando el diccionario o explicándolo usted con palabras o haciendo mímica.

Actividades alternativas

A. Pregunte a sus alumnos qué hora creen que es en la escena y qué sucede en sus casas a esa hora.

Lección 7 Escenas

¿Qué hora es?
Vamos
a pasear
por las horas
del reloj.
¡Date prisa,
que es tarde!

2a Al vecino de nuestros amigos se le ha estropeado la radio. Escucha qué ocurre cuando llama al servicio de reparación. ¿Puedes rellenar ahora estos cuadros?

¿Cuándo puede el técnico?	¿Cuándo puede el vecino?	¿Cuál es el horario del taller?
1 a las 16:30	3 ______	5 ______
2 ______	4 ______	6 ______

2b Ahora, vuelve a escuchar el audio y completa el cuadro con las actividades del vecino.

12

Hoy a las 4:30 va al médico

Mañana a las 9:00 ______

Después ______

Mañana a las 12:00 ______

3 La madre de Begoña está en un viaje organizado. Escucha cómo la guía turística da el horario de las actividades para hoy. Luego puedes completar el cuadro.

Actividad	Inicio	Final
______	--------	9.00
Visita a ______	______	11.45
Visita a la fábrica de ______	12.30	______
Visita a la ______	______	20.30
Fiesta de ______	22.00	--------

12

112 ciento doce

4 Escucha los diálogos y escribe al lado de los números las distintas horas que oyes.

1 A las 2
2 ______
3 ______
4 ______
5 ______
6 ______
7 ______
8 ______

4

5 Escucha estos diálogos y señala las horas que oigas.

a [4] b [ ] c [ ] d [ ] e [ ]

f [ ] g [ ] h [ ] i [ ]

7

6 Ana está hablando de Lola y de Begoña con una amiga suya. Escucha el audio y completa lo que dice Ana.

1 Lola sale de casa a las nueve y media casi siempre.
2 ______ va al gimnasio ______
3 ______ sale con Lola ______ a las nueve y media.
4 ______ trabaja ______
5 Ellas tienen ensayo ______ los martes y jueves.
6 ______ comen ______ en un bar.
7 ______ compran ______
8 ______ de Ana compra ______ por la mañana.

1, 2, 3, 13

ciento trece 113

7 Escenas

2. Antes de escuchar, explique a sus alumnos que una mujer llama a un servicio de reparación de electrodomésticos a domicilio de televisores, radios, vídeos, etc.

Puede aprovechar la información que ofrece la audición para comentar los horarios públicos en España de tiendas y servicios.

3. Para contextualizar la actividad, explique el concepto de viaje organizado y el conjunto de actividades que se realizan con un guía. Pregunte a los alumnos si han realizado alguna vez un viaje organizado, y en caso afirmativo, anímeles a explicar qué opinan.

4. Indique a los alumnos que para decir la hora existen dos posibilidades: *Las siete menos cuarto / Las dieciocho cuarenta y cinco*. La primera es la fórmula que se utiliza en contextos coloquiales, y la segunda se usa sobre todo para indicar horas de una forma oficial y en servicios de transporte.

6. Aproveche el audio para explicar a los alumnos cómo son las relaciones entre vecinos. En España es habitual que los vecinos se conozcan entre sí, así como tener información sobre la profesión, el horario, los hábitos, etc., de los vecinos.

Actividades alternativas

B. Divida a la clase en dos grupos. En uno, los alumnos simulan ser operarios de un servicio cualquiera de reparación. Los del segundo grupo son clientes con algún problema de tipo doméstico. En ambos grupos escribirán acciones que tienen que hacer mañana y pasado mañana. Deje tiempo suficiente para que los alumnos preparen sus intervenciones.

Después, los alumnos, en parejas compuestas por un miembro de cada grupo, producen un diálogo parecido al del ejercicio 2. Prepare a los alumnos fijando las preguntas que aparecen en la audición: *¿qué problema tiene?, ¿a qué hora pueden los dos?, ¿qué horario tiene el servicio de reparación?*, etc.

C. Proponga a los alumnos realizar un programa de actividades parecido al del ejercicio 3 en grupos de tres o cuatro personas, ya sea sobre su propia ciudad o sobre cualquiera que conozcan lo suficiente como para hacer sugerencias sobre lo que debe visitarse. Después, puede hacer una puesta en común de los programas y compararlos.

D. Pida a los alumnos que escriban un texto de unas sesenta palabras sobre la vida cotidiana de alguien que elijan: un personaje conocido, un familiar, o bien de ellos mismos, etc. Si deciden escribir sobre la vida de un compañero, prevea el tiempo necesario para que se pregunten y obtengan la información suficiente.

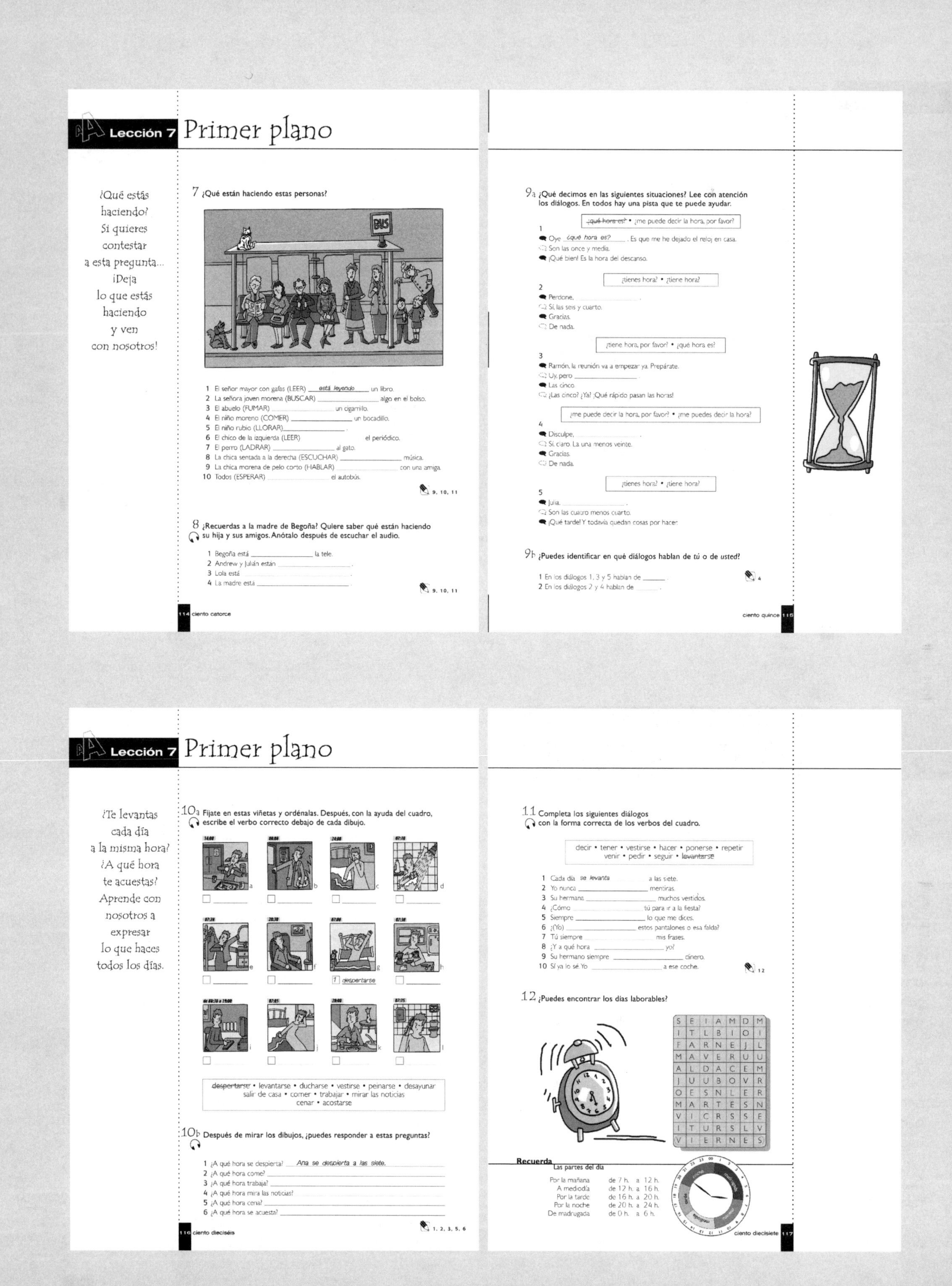

¿Qué estás haciendo? Si quieres contestar a esta pregunta... ¡Deja lo que estás haciendo y ven con nosotros!

7 ¿Qué están haciendo estas personas?

1 El señor mayor con gafas (LEER) *está leyendo* un libro.
2 La señora joven morena (BUSCAR) ______ algo en el bolso.
3 El abuelo (FUMAR) ______ un cigarrillo.
4 El niño moreno (COMER) ______ un bocadillo.
5 El niño rubio (LLORAR) ______.
6 El chico de la izquierda (LEER) ______ el periódico.
7 El perro (LADRAR) ______ al gato.
8 La chica sentada a la derecha (ESCUCHAR) ______ música.
9 La chica morena de pelo corto (HABLAR) ______ con una amiga.
10 Todos (ESPERAR) ______ el autobús.

9, 10, 11

8 ¿Recuerdas a la madre de Begoña? Quiere saber qué están haciendo su hija y sus amigos. Anótalo después de escuchar el audio.

1 Begoña está ______ la tele.
2 Andrew y Julián están ______.
3 Lola está ______.
4 La madre está ______.

9, 10, 11

9a ¿Qué decimos en las siguientes situaciones? Lee con atención los diálogos. En todos hay una pista que te puede ayudar.

~~¿qué hora es?~~ • ¿me puede decir la hora, por favor?

1
— Oye *¿qué hora es?*. Es que me he dejado el reloj en casa.
— Son las once y media.
— ¡Qué bien! Es la hora del descanso.

¿tienes hora? • ¿tiene hora?

2
— Perdone, ______.
— Sí, las seis y cuarto.
— Gracias.
— De nada.

¿tiene hora, por favor? • ¿qué hora es?

3
— Ramón, la reunión va a empezar ya. Prepárate.
— Uy, pero ______.
— Las cinco.
— ¿Las cinco? ¿Ya? ¡Qué rápido pasan las horas!

¿me puede decir la hora, por favor? • ¿me puedes decir la hora?

4
— Disculpe, ______.
— Sí, claro. La una menos veinte.
— Gracias.
— De nada.

¿tienes hora? • ¿tiene hora?

5
— Julia, ______.
— Son las cuatro menos cuarto.
— ¡Qué tarde! Y todavía quedan cosas por hacer.

9b ¿Puedes identificar en qué diálogos hablan de *tú* o de *usted*?

1 En los diálogos 1, 3 y 5 hablan de ______.
2 En los diálogos 2 y 4 hablan de ______.

4

¿Te levantas cada día a la misma hora? ¿A qué hora te acuestas? Aprende con nosotros a expresar lo que haces todos los días.

10a Fíjate en estas viñetas y ordénalas. Después, con la ayuda del cuadro, escribe el verbo correcto debajo de cada dibujo.

a ☐ ______
b ☐ ______
c ☐ ______
d ☐ ______
e ☐ ______
f ☐ ______
g 1 *despertarse*
h ☐ ______
i ☐ ______
j ☐ ______
k ☐ ______
l ☐ ______

~~despertarse~~ • levantarse • ducharse • vestirse • peinarse • desayunar
salir de casa • comer • trabajar • mirar las noticias
cenar • acostarse

10b Después de mirar los dibujos, ¿puedes responder a estas preguntas?

1 ¿A qué hora se despierta? *Ana se despierta a las siete.*
2 ¿A qué hora come? ______
3 ¿A qué hora trabaja? ______
4 ¿A qué hora mira las noticias? ______
5 ¿A qué hora cena? ______
6 ¿A qué hora se acuesta? ______

1, 2, 3, 5, 6

11 Completa los siguientes diálogos con la forma correcta de los verbos del cuadro.

decir • tener • vestirse • hacer • ponerse • repetir
venir • pedir • seguir • ~~levantarse~~

1 Cada día *se levanta* a las siete.
2 Yo nunca ______ mentiras.
3 Su hermana ______ muchos vestidos.
4 ¿Cómo ______ tú para ir a la fiesta?
5 Siempre ______ lo que me dices.
6 ¿(Yo) ______ estos pantalones o esa falda?
7 Tú siempre ______ mis frases.
8 ¿Y a qué hora ______ yo?
9 Su hermano siempre ______ dinero.
10 Sí ya lo sé. Yo ______ a ese coche.

12

12 ¿Puedes encontrar los días laborables?

S	E	I	A	M	D	M
I	T	L	B	I	O	I
F	A	R	N	E	J	L
M	A	V	E	R	U	U
A	L	D	A	C	E	M
J	U	U	B	O	V	R
O	E	S	N	L	E	R
M	A	R	T	E	S	N
V	I	C	R	S	S	E
I	T	U	R	S	L	V
V	I	E	R	N	E	S

Recuerda

Las partes del día

Por la mañana	de 7 h. a 12 h.
A mediodía	de 12 h. a 16 h.
Por la tarde	de 16 h. a 20 h.
Por la noche	de 20 h. a 24 h.
De madrugada	de 0 h. a 6 h.

7. Pregunte a los alumnos dónde ocurre esta escena. Explique que pueden decir en presente las formas verbales de las acciones de las personas que aparecen. Una vez presentado el vocabulario de las acciones, pregunte a la clase: *¿Qué están haciendo?* Los alumnos deberán responder usando la estructura *está + gerundio*. Si es necesario, sistematice en la pizarra la estructura presentada con las terminaciones de gerundio correspondientes a cada conjugación (*-ar→-ando*; *-er→iendo*; *-ir→iendo*). Comente las irregularidades que vayan apareciendo.

Intente añadir otros verbos diferentes a los del ejercicio para describir el dibujo.

9. Destaque las distintas maneras de pedir la hora según la relación formal o informal entre los interlocutores. Observe que el ejercicio se puede resolver leyendo los diálogos a partir de las marcas de relación formal o informal. Puede pedir a sus alumnos que intenten resolver el ejercicio por escrito y posteriormente escuchen para comprobar sus respuestas.

10. Proponga a sus alumnos que pongan un nombre al personaje y pregúnteles de qué trabaja, si vive solo o acompañado, qué desayuna, come y cena. Y también qué les parece la vida que lleva esta persona.

Explique que las horas se expresan con el artículo. Destaque la particularidad del singular de *la una*. Introduzca la fórmula *trabajar de 5 a 7* para referirse a períodos de tiempo.

Presente la distinción entre desayuno, comida o almuerzo, merienda y cena. Podría explicar que en España para referirse a la comida se usa o bien *comida* o bien *almuerzo*, según la zona geográfica. En algunos países de Latinoamérica se utiliza *almorzar* para referirse a lo que en la península se llama *comer*, y *comer* para referirse a *cenar*.

12. Destaque, si es necesario, que el primer día de la semana es el lunes.

Actividades alternativas

E. Para practicar la estructura *estar + gerundio*, anime a los alumnos a que comenten en grupos qué creen que está haciendo en este momento: (a) su mejor amigo, (b) su madre, (c) su novio, (d) su perro, etc.

F. Puede practicar las formas de decir la hora dibujando en la pizarra una esfera de un reloj sin agujas. Pida a un alumno que diga en voz alta una hora, p. ej.: *Son las tres menos cinco*, mientras otro alumno dibuja las agujas que marcan la hora que ha dicho el compañero. El resto de compañeros pueden ayudar al alumno que está en la pizarra. Después, practican otras parejas sucesivamente.

Una variante de esta actividad es ésta. Usted prepare en tarjetas diferentes horas, tantas como alumnos tenga. Divida la clase en dos grupos. Alternativamente sale a la pizarra un miembro de cada equipo. Usted les enseña una tarjeta y ellos, sin decir nada, dibujan las agujas del reloj en la posición correcta. Los miembros de su equipo tienen que decir qué hora es. Si su equipo dice correctamente la hora, se anota un punto, y si la dice incorrectamente, tiene la oportunidad de decirla el otro equipo, y así sucesivamente.

G. De ahora en adelante, puede recordar los recursos para decir la hora preguntando a los alumnos la hora de ese momento o la de ciertas actividades de la escuela.

H. Haga que los alumnos se formulen entre sí estas preguntas:
- *¿A qué hora (levantarse)?*,
- *¿A qué hora (comer)?*,
- *¿A qué hora (cenar)?*,
- *¿A qué hora (acostarse)?*,
- *¿A qué hora...?*

Invíteles a que completen la última pregunta. Los alumnos circulan por la clase preguntando a varios compañeros y anotando las respuestas. Mientras, usted observe la corrección de sus diálogos y, especialmente, de las formas verbales.

Después, pídales que compartan la información que han escrito para descubrir quién de entre ellos: (1) es el que se levanta más tarde; (2) come más tarde; (3) cena más temprano; (4) se acuesta más temprano, etc. Después, cada grupo informa al resto de la clase para identificar al alumno que en cada caso hace algo más temprano o más tarde.

I. Anime a sus alumnos a que escriban un texto sobre un día normal en la vida de la persona del ejercicio 10.

J. Invíteles a que escriban un texto sobre cómo es un día de su vida diaria entre semana y un fin de semana normal. En el caso de que los alumnos vivan en una ciudad extranjera, pregúnteles si sus hábitos cotidianos y de comidas han cambiado, si sus horarios han sufrido algún cambio y qué opinión tienen de los horarios del país en el que viven.
Puede intercambiar los textos de los alumnos para que elaboren un pequeño informe exponiendo y contrastando los hábitos cotidianos de los miembros de la clase. En caso de que disponga de un grupo procedente de diferentes naciones, pueden comparar hábitos por países. Esto les permitirá conocerse más como grupo y descubrir si tienen hábitos o aficiones muy parecidas.

K. Anime a los alumnos a que en pequeños grupos se expliquen lo que hacen durante la semana, indicando la frecuencia con que lo hacen, pero con la condición de que una actividad sea falsa. Los compañeros tienen que descubrirla.

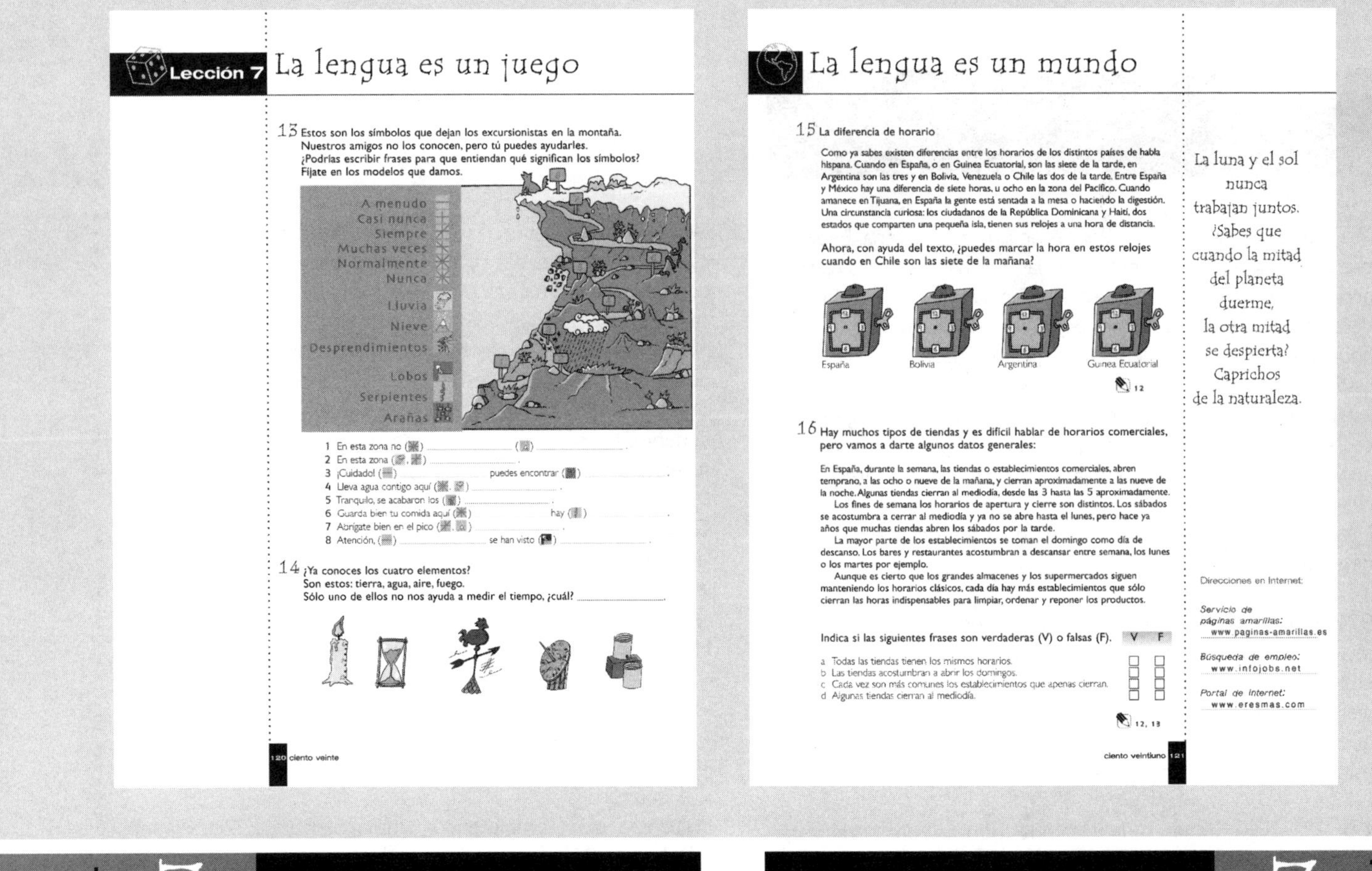

Lección 7 La lengua es un juego

13 Estos son los símbolos que dejan los excursionistas en la montaña.
Nuestros amigos no los conocen, pero tú puedes ayudarles.
¿Podrías escribir frases para que entiendan qué significan los símbolos?
Fíjate en los modelos que damos.

1 En esta zona no ( ) .... ( ) ....
2 En esta zona (,) ....
3 ¡Cuidado! ( ) .... puedes encontrar ( ) ....
4 Lleva agua contigo aquí (,) ....
5 Tranquilo, se acabaron los ( ) ....
6 Guarda bien tu comida aquí ( ) .... hay ( ) ....
7 Abrígate bien en el pico (,) ....
8 Atención, ( ) .... se han visto ( ) ....

14 ¿Ya conoces los cuatro elementos?
Son estos: tierra, agua, aire, fuego.
Sólo uno de ellos no nos ayuda a medir el tiempo, ¿cuál? ....

120 ciento veinte

La lengua es un mundo

15 La diferencia de horario

Como ya sabes existen diferencias entre los horarios de los distintos países de habla hispana. Cuando en España, o en Guinea Ecuatorial, son las siete de la tarde, en Argentina son las tres y en Bolivia, Venezuela o Chile las dos de la tarde. Entre España y México hay una diferencia de siete horas, u ocho en la zona del Pacífico. Cuando amanece en Tijuana, en España la gente está sentada a la mesa o haciendo la digestión. Una circunstancia curiosa: los ciudadanos de la República Dominicana y Haití, dos estados que comparten una pequeña isla, tienen sus relojes a una hora de distancia.

Ahora, con ayuda del texto, ¿puedes marcar la hora en estos relojes cuando en Chile son las siete de la mañana?

16 Hay muchos tipos de tiendas y es difícil hablar de horarios comerciales, pero vamos a darte algunos datos generales:

En España, durante la semana, las tiendas o establecimientos comerciales, abren temprano, a las ocho o nueve de la mañana, y cierran aproximadamente a las nueve de la noche. Algunas tiendas cierran al mediodía, desde las 3 hasta las 5 aproximadamente.

Los fines de semana los horarios de apertura y cierre son distintos. Los sábados se acostumbra a cerrar al mediodía y ya no se abre hasta el lunes, pero hace ya años que muchas tiendas abren los sábados por la tarde.

La mayor parte de los establecimientos se toman el domingo como día de descanso. Los bares y restaurantes acostumbran a descansar entre semana, los lunes o los martes por ejemplo.

Aunque es cierto que los grandes almacenes y los supermercados siguen manteniendo los horarios clásicos, cada día hay más establecimientos que sólo cierran las horas indispensables para limpiar, ordenar y reponer los productos.

Indica si las siguientes frases son verdaderas (V) o falsas (F).

	V	F
a Todas las tiendas tienen los mismos horarios.	☐	☐
b Las tiendas acostumbran a abrir los domingos.	☐	☐
c Cada vez son más comunes los establecimientos que apenas cierran.	☐	☐
d Algunas tiendas cierran al mediodía.	☐	☐

12, 13

La luna y el sol nunca trabajan juntos. ¿Sabes que cuando la mitad del planeta duerme, la otra mitad se despierta? Caprichos de la naturaleza.

Direcciones en Internet:

Servicio de páginas amarillas: www.paginas-amarillas.es

Búsqueda de empleo: www.infojobs.net

Portal de Internet: www.eresmas.com

ciento veintiuno 121

1 3. Destaque en estas frases las palabras para indicar frecuencia. Observe la irregularidad de los verbos *llover* y *nevar*.

Pregunte a sus alumnos si van con frecuencia de excursión al campo.

Actividades alternativas

L. Elabore con sus alumnos una lista de acciones, p. ej.: *ir al teatro, comer en un restaurante, viajar en avión, leer libros, ir en autobús*, etc. Haga que se pregunten en grupos con qué frecuencia realizan esas acciones. Después, los alumnos pueden informar a la clase de lo que hacen los compañeros con los que han hablado.

1 5. Pregunte sobre la hora que es en ese momento en otras ciudades como Madrid, Buenos Aires, etc.

1 6. Aproveche el texto para hablar en clase de los horarios comerciales en España o en algún país hispanoamericano. Anime a los alumnos a manifestar su opinión al respecto: si les ha sorprendido, les parece práctico, etc.

Los horarios comerciales tienen una relación muy estrecha con los hábitos de compra. Hable sobre cuándo va a comprar la gente en general (los sábados por la mañana y por la tarde, entre semana, etc.), quién va a comprar (mujeres, hombres y mujeres, familia, etc.), dónde va la gente a comprar (mercados, supermercados, centros comerciales, etc.), cómo va a comprar (en coche, andando, etc.), etc.

Si el grupo de alumnos procede de distintos países, haga que comenten las diferencias horarias que hay en sus respectivos países. Los alumnos se pueden preguntar entre ellos para practicar las estructuras presentadas *¿Qué hora es en tu país?* o *Cuando vosotros coméis, nosotros cenamos.*

Aproveche la actividad para hacer alusión al horario de las comidas en España. Esta información es muy útil para los alumnos.

8

lecciónocho8

Y tú...
¿qué opinas?

Lección 8 En portada

Y tú... ¿qué opinas?

Ya sabes que la lengua es un mundo. Ahora te toca explicar tus gustos y tus opiniones: ¿qué te apetece hacer?, ¿cuáles son tus preferencias? ¡Decídete!

124 ciento veinticuatro

En esta lección vas a aprender:

- A expresar gustos, emociones, opiniones
- Cómo explicar sensaciones físicas y dolor
- Formas para manifestar acuerdo y desacuerdo

1a **Observa con atención la fotografía que tienes a la izquierda porque vamos a hacerte unas preguntas. Usa la lógica y seguro que aciertas.**

1 ¿Qué están haciendo Lola y Begoña?
- ☐ Lola y Begoña están discutiendo.
- ☐ Lola y Begoña están comiendo.
- ☐ Lola y Begoña están hablando.

2 ¿Qué hacen Julián y Andrew?
- ☐ También discuten.
- ☐ Están escuchando y riéndose.
- ☐ Están ensayando.

3 ¿Dónde están nuestros amigos?
- ☐ En la calle.
- ☐ En el teatro.
- ☐ En el cine.

4 ¿Qué tienen en las manos?
- ☐ Unos bocadillos.
- ☐ El guión que están ensayando.
- ☐ Las notas de la escuela.

5 ¿Por qué crees que discuten?
- ☐ Porque opinan cosas diferentes.
- ☐ Para hacer reír a Andrew y Julián.
- ☐ Porque se aburren.

1b **Después de elegir la opción adecuada seguro que puedes rellenar este resumen.**

Lola y Begoña están ____________. Julián y Andrew están ____________ y ____________. Nuestros amigos están ____________. En las manos tienen ____________. Están discutiendo ____________.

Recuerda

El verbo **estar**

yo estoy	nosotros estamos
tú estás	vosotros estáis
él, ella y usted está	ellos están

ciento veinticinco 125

OBJETIVOS

Los objetivos de esta lección son:

- Ofrecer instrumentos para valorar la realidad expresando gustos, emociones y opiniones.
- Preguntar y compartir valoraciones y experiencias.
- Dotar al alumno de recursos para expresar dolor.
- Proporcionar recursos básicos para mostrar acuerdo o desacuerdo.
- Conocer construcciones con pronombres como *a mí me gusta, a mí me duele*, etc.
- Reconocer algún uso de *ser* y *estar* relacionado con algunos adjetivos.
- Familiarizar al alumno con la forma del *pretérito perfecto*.

Algunas palabras del cuerpo humano ya aparecieron en la Lección 2. En esta lección aparecen el resto de las principales partes del cuerpo relacionadas con la expresión de malestar y dolor.

Se relaciona el *pretérito perfecto* referido a la marca temporal *hoy*, y a los marcadores *ya* y *todavía*. En las lecciones 10 y 11 se amplían los marcadores temporales propios del *pretérito perfecto* y se contrastan con los del *pretérito indefinido*.

1. Destaque que los personajes que aparecen en la foto están expresando opiniones diferentes. Relacione la gestualidad y el lenguaje no verbal de los personajes con el acto de comunicación.

Las chicas pueden estar manifestando su opinión con la estructura *A mí me parece...* Los chicos pueden estar expresando valoraciones como *Me aburren las discusiones*, o *No me gustan las discusiones.*

Destaque la singularidad de la construcción y concordancia de *(A mí) me gustan...* en comparación con las estructuras equivalentes de otras lenguas.

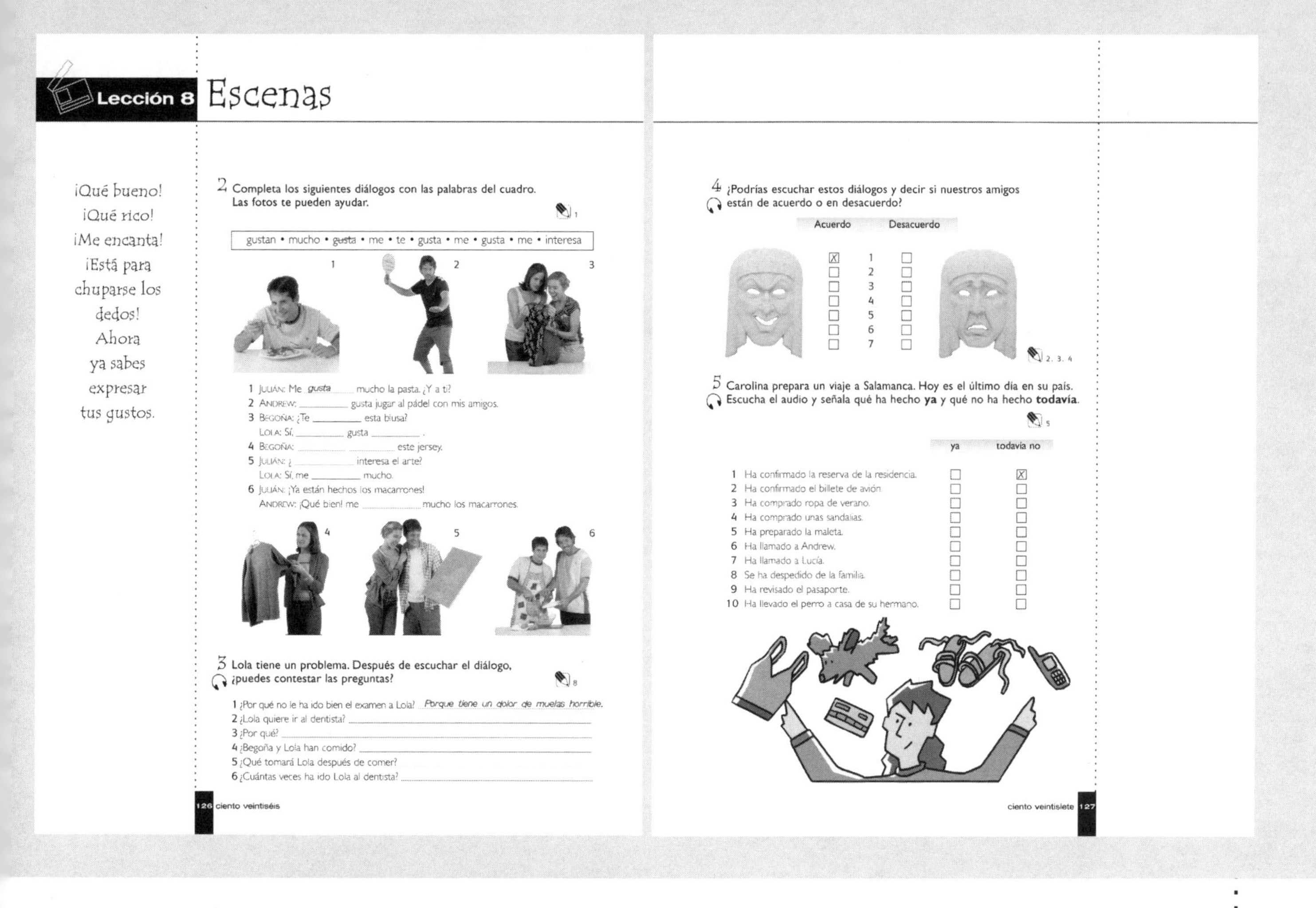
Lección 8 Escenas

¡Qué bueno!
¡Qué rico!
¡Me encanta!
¡Está para chuparse los dedos!
Ahora ya sabes expresar tus gustos.

2 Completa los siguientes diálogos con las palabras del cuadro. Las fotos te pueden ayudar. 1

gustan • mucho • ~~gusta~~ • me • te • gusta • me • gusta • me • interesa

1 Julián: Me *gusta* mucho la pasta. ¿Y a ti?
2 Andrew: ______ gusta jugar al pádel con mis amigos.
3 Begoña: ¿Te ______ esta blusa?
Lola: Sí, ______ gusta ______ .
4 Begoña: ______ ______ este jersey.
5 Julián: ¿ ______ interesa el arte?
Lola: Sí, me ______ mucho.
6 Julián: ¡Ya están hechos los macarrones!
Andrew: ¡Qué bien! me ______ mucho los macarrones.

3 Lola tiene un problema. Después de escuchar el diálogo, ¿puedes contestar las preguntas? 8

1 ¿Por qué no le ha ido bien el examen a Lola? *Porque tiene un dolor de muelas horrible.*
2 ¿Lola quiere ir al dentista? ______
3 ¿Por qué? ______
4 ¿Begoña y Lola han comido? ______
5 ¿Qué tomará Lola después de comer? ______
6 ¿Cuántas veces ha ido Lola al dentista? ______

126 ciento veintiséis

4 ¿Podrías escuchar estos diálogos y decir si nuestros amigos están de acuerdo o en desacuerdo?

Acuerdo		Desacuerdo
☒	1	☐
☐	2	☐
☐	3	☐
☐	4	☐
☐	5	☐
☐	6	☐
☐	7	☐

2, 3, 4

5 Carolina prepara un viaje a Salamanca. Hoy es el último día en su país. Escucha el audio y señala qué ha hecho **ya** y qué no ha hecho **todavía**. 5

	ya	todavía no
1 Ha confirmado la reserva de la residencia.	☐	☒
2 Ha confirmado el billete de avión.	☐	☐
3 Ha comprado ropa de verano.	☐	☐
4 Ha comprado unas sandalias.	☐	☐
5 Ha preparado la maleta.	☐	☐
6 Ha llamado a Andrew.	☐	☐
7 Ha llamado a Lucía.	☐	☐
8 Se ha despedido de la familia.	☐	☐
9 Ha revisado el pasaporte.	☐	☐
10 Ha llevado el perro a casa de su hermano.	☐	☐

ciento veintisiete 127

4. Indique la opción de indicar las referencias personales *a mí, a ti, a él,* etc. como recurso para resaltar la opinión de una persona en contraste con la opinión de otras.

5. Anime a los alumnos a que hagan frases utilizando el *pretérito perfecto* con verbos distintos a los de la actividad, por ejemplo: tener, dar, etc.

Actividades alternativas

A. Anime a los alumnos a pensar en cinco cosas que *ya han hecho* y cinco cosas que *todavía no han hecho*. Usted puede sugerir algunas actividades, como ir al médico, preparar una fiesta, un viaje, etc. Después, pídales que las comenten con su compañero utilizando el *pretérito perfecto*, y las palabras *también / tampoco; ya / todavía no*. Si tiene la posibilidad, grabe en vídeo o en casete a los alumnos mientras intervienen. Después revise la grabación para que los alumnos reflexionen sobre sus intervenciones.

B. Si los alumnos están estudiando fuera de su país, pregúnteles qué conocen ya de su nueva ciudad y qué todavía no. Después puede pedirles que escriban lo que *ya han hecho* y lo que *todavía no*. Una vez tenga todas las redacciones, mézclelas y repártalas a los alumnos. Pueden adivinar quién la ha escrito así como corregir el texto.

C. Organice la clase en pequeños grupos para que los alumnos se pregunten entre sí usando la estructura *¿Te gusta/n...?* y reaccionen expresando acuerdo o desacuerdo:

- el cine,
- las películas románticas,
- el pescado,
- la música jazz,
- volar en avión,
- el ajedrez.

Pídales que añadan a esta lista otros dos temas. Después, para variar el uso de los pronombres, haga que pregunten por el gusto de otras personas, por ejemplo, su novio y sus padres. En este caso, destaque la correcta construcción del pronombre y el verbo. Después les puede preguntar si tienen gustos muy diferentes de los otros.

¿Te gusta o no te gusta? Decídete, sobre gustos hay mucho escrito.

6 **¿Por qué no intentas completar los diálogos con la ayuda de las palabras que aparecen al lado?**

1 ¿Has visto la final de fútbol?
No, no *me interesa* el fútbol, ¿ *y a ti* ?
A mí sí . No me pierdo un partido
{ me interesa / a mí sí / y a ti }

2 Hoy estrenan la última película de Berlanga.
¿ ____ Berlanga?
No, no mucho, ¿ ____ ?
____ .
{ y a ti / a ti te gusta, / a mí tampoco }

3 ¿Puedes poner otro CD?, ¡esta música es aburrida!
¡ ____ Camarón de la Isla!
No, el flamenco ____ .
{ me aburre / no te gusta }

4 ¿ ____ interesante la conferencia?
No, no nos interesa el tema, ¿ ____ ?
____ ____ .
{ a nosotros tampoco / y a vosotros / os ha parecido }

5 ¿Tus padres ya tienen el billete de avión?
Sí, ¿ ____ ?
Yo ____ .
{ y tú / también }

6 ____ que Andrew está enfadado.
Sí, ____ .
{ a mí también / me parece }

7 ¡Qué película más buena!
¿ ____ ?
Sí, mucho, ¿ ____ ?
A mí ____ algo lenta.
{ me ha parecido, / te ha gustado / y a ti }

7 **¿Y tú cómo estás cuando te levantas? Imagínate las situaciones que te proponemos y di cómo reaccionas ante ellas.**

~~sueño~~ • harto • hambre • despierto • cansado • contento • nervioso • relajado • sed

1 7:30, suena el despertador: *Tengo sueño*
2 11:15, has tomado un café: ____
3 13:30, es la hora de comer: ____
4 18:20, terminas de trabajar después de ocho horas: ____
5 18:50, vas a ver a un amigo: ____
6 20:00, todavía no has bebido nada: ____
7 21:00, mañana tienes una reunión importante: ____
8 22:00, tomas una ducha: ____
9 24:00, te llama tu jefe para hablar de la reunión: ____

8

8 **Después de escuchar el diálogo, ¿puedes señalar si las siguientes frases son verdaderas (V) o falsas (F)?**

	V	F
1 A Julián le ha gustado mucho la obra.	☐	☒
2 Lola cree que el escenario es maravilloso por los colores.	☐	☐
3 A Julián le duele la cabeza.	☐	☐
4 A Lola también le duele la cabeza.	☐	☐
5 Julián pide una aspirina.	☐	☐
6 A Lola no le gustan las aspirinas.	☐	☐
7 Lola prefiere descansar y Julián prefiere pasear.	☐	☐

8

9 **¿Puedes transformar las siguientes frases con la ayuda del ejemplo? Fíjate en los cuadros.**

ser • estar

~~serio~~ • tranquilo • aburrido • alegre • guapo • nervioso

1 Ana no se ríe nunca. *Ana es muy seria* .
2 Estás en una fiesta y no te gusta nada. ____ .
3 Andrew y Julián leen en el sofá. ____ .
4 Lola siempre se ríe. ____ .
5 Begoña esta noche lleva un vestido de fiesta muy elegante. ____ .
6 Hoy estás fumando muchísimo. ____ .

2, 3, 4, 8

10 **Begoña quiere ir al cine, ¿Lola la va a acompañar? Rellena los espacios en blanco después de escuchar el diálogo.**

1 Lola *todavía* no *ha visto* la película de Buñuel.
2 Begoña ____ la ____ .
3 Julián ____ ha visto la película y no le ____ mucho.
4 Begoña ____ verla antes de opinar.
5 Lola ____ .

8, 11

¿Has aprendido mucho? Todavía puedes aprender más. Sigue con nosotros.

11 **Nuestros amigos están hablando de cine, ¿quieres saber qué dicen? ¡Ordena el diálogo!**

☐ a JULIÁN: Sí, claro. La he visto muchísimas veces y nunca me aburre. Para mí es un clásico del cine español.
☐ b ANDREW: Sí, ¿y tú?
☐ 1 c JULIÁN: Oye, Andrew, ¿tú conoces algo de Almodóvar?
☐ d ANDREW: Sí, lo sé, pero yo todavía no la he entendido bien.
☐ e JULIÁN: Ya sabes que Almodóvar siempre ha sido un poco surrealista.
☐ f JULIÁN: A mí me encanta Almodóvar. ¿Has visto su última película?
☐ g ANDREW: Sí, un poco. Siempre me ha gustado mucho. Es muy interesante. ¿Y a ti, qué te parece?

6, 7

12 **¡Atrévete a completar el diálogo con los verbos del cuadro! Después escúchalo en el audio para comprobar si lo has hecho bien.**

ha parecido • has comprado • has visto • he visto • he comprado • he ahorrado • he ido

LOLA: ¡Pareces muy contento!
JULIÁN: Sí, ¡estoy contento! Porque ____ un cuadro precioso de un pintor joven.
LOLA: ¿Ah sí? y... ¿dónde lo ____ ?
JULIÁN: En la galería de mi amigo. Todos sus cuadros son muy interesantes.
LOLA: Yo nunca ____ a una galería de arte.
JULIÁN: Pues, si quieres, vamos a la de mi amigo. Está aquí mismo.
LOLA: Vale, me apetece ver una exposición de pintores jóvenes, y... ¡quién sabe!, con el dinero que ____ a lo mejor puedo comprar algún cuadro.
JULIÁN: Por cierto, ¿ ____ la exposición de Frida Kahlo en el Museo de Arte Moderno?
LOLA: Sí, ya la ____ .
JULIÁN: ¿Y qué te ____ ?
LOLA: ¡Fantástica! ¡Me encanta esa pintora!
JULIÁN: A mí también.

1, 5

13 **¿Qué te parece este libro? ¿Puedes dar tu opinión?**

Me gustan mucho / No me gustan mucho / Me aburren / Me interesan / Me encantan { los ejercicios / los diálogos / las fotos / los textos / las páginas de gramática / los dibujos / los temas } + Me parecen { aburridos / divertidos / claros / confusos / útiles / interesantes / atractivos }

Me encantan los diálogos. Me parecen muy divertidos.

5

14 **¿Por qué no señalas los diálogos incorrectos? Después, escribe la respuesta correcta.**

☒ 1 ¿Qué te parece la nueva casa de mi primo?
No me gusta nada.
A mí también. *A mí tampoco*

☐ 2 ¿Te gusta el conejo?
¡Noooo! ¿Y a ti?
No, no, a mí tampoco. ____

☐ 3 A mí, me gusta ir a la playa. ¿Y a ti?
A mí también. Me encanta. ____

☐ 4 No nos gusta nada comprar en esta tienda.
A nosotros también. ____

☐ 5 ¿A quién le gusta el pescado?
A mí no.
A mí tampoco. ____

☐ 6 ¿Te gusta navegar por Internet?
Sí, ¿y a ti?
A mí tampoco. Es muy lento. ____

☐ 7 ¿No os gusta viajar en avión?
No, ¿y a vosotros?
No, no a nosotros tampoco. ____

1

Primer plano

Destaque los adjetivos que aparecen en los ejercicios de esta sección para expresar valoraciones y estados de ánimo.
Haga ver el parecido en la construcción gramatical de las expresiones *a mi me gusta / interesa / aburre / duele.*

7. Pregunte a los alumnos cómo se sienten ellos a estas horas del día. Resulta interesante comparar las distintas reacciones de los alumnos. Usted puede plantear distintas situaciones: antes de un examen, el día su boda, si tienen gripe, antes de comer, si han dormido poco, etc., y que cada uno conteste.

8. Indique que en español siempre aparece el verbo *doler* cuando se habla de un dolor en general. Pero en cambio se utiliza *tener dolor de* cuando nombramos la parte del cuerpo. Por ejemplo: *Me duele / Tengo dolor de cabeza.*

11. Después de ordenar el diálogo, pida a una pareja que lo escenifique delante de la clase. Pregunte a sus alumnos si conocen al director de cine español Pedro Almodóvar. Probablemente, algún alumno conozca su nombre o alguna de sus películas más exitosas, como *Mujeres al borde de un ataque de nervios* o *Todo sobre mi madre,* película por la que recibió un Oscar a la mejor película de habla no inglesa.

13. Solicite la opinión de los alumnos sobre el libro y concretamente de algunas de sus partes.

Actividades alternativas

D. Lleve a clase una fotografía del conde Drácula. Enséñela a los alumnos y ellos deberán decir qué le gusta y qué no le gusta al conde. Puede ayudarles escribiendo en la pizarra las palabras: *sol, cruz, noche, sangre, agua, ajos, Transilvania*, etc. Si lo prefiere, puede acompañar las palabras con un dibujo. Aproveche las frases que surjan para que los alumnos manifiesten acuerdo o desacuerdo.

E. Pida a un voluntario que escenifique una de estas expresiones: *estoy cansado, me duelen los pies, tengo calor, tengo frío, me duele la tripa, tengo sueño,* etc. Los compañeros observan la mímica y deben decir qué le pasa. Cuando lo dicen correctamente, otro alumno hace mímica.

F. Invite a los alumnos a que comenten en grupos la última exposición o espectáculo de cine o de teatro que hayan visto. Pueden hacerse estas preguntas: *¿Te ha gustado?, ¿Ha sido interesante, divertido, aburrido?, ¿Ha estado bien?,* etc. Posteriormente, pueden comentar a toda la clase el espectáculo más interesante.

G. Puede dar a los alumnos el nombre de varias películas que sean conocidas por ellos para que las relacionen con un género cinematográfico: terror, comedia, romántica, de misterio, drama, policíaca, histórica, acción, ciencia ficción. Después, pregunte a los alumnos si han visto alguna de esas películas y su valoración.

H. Formule en clase estas frases para que los alumnos reaccionen: *Me gustan los toros; No os gusta escuchar ópera; A él le gustan mucho los días de sol; No me gusta nada levantarme pronto; A ellas les gusta mucho maquillarse; Yo prefiero ver la tele en vez de leer, A mi hermano le gusta bastante cocinar; A nosotros nos gusta muy poco ir al gimnasio; Ellos prefieren salir más tarde; A nosotros nos gusta mucho bailar salsa.*
Fije la atención en la coherencia de la respuesta de un alumno respecto a la afirmación previa: *Me gusta* sólo puede ir seguido de *A mí no / A mí también;* y *No me gusta* sólo puede ir seguido de *A mí tampoco / A mí sí.*

I. Proponga a sus alumnos que en pequeños grupos valoren sus gustos con las palabras *mucho, bastante, poco, nada* respecto a estos temas:
- la música disco;
- leer libros largos;
- ir a comprar;
- los gatos negros;
- bañarse en la piscina;
- comer paella en un restaurante;
- los desayunos en la cama;
- la política, etc.

Después, en parejas, los alumnos pueden intercambiar sus opiniones.

15 **Un poeta del siglo XIX creó un cuestionario al que llamaba *El retrato interno*. Es muy sencillo, sólo debes contestar a las siguientes preguntas:**

- ¿Qué cualidades prefieres en el hombre?
- ¿Y en la mujer?
- ¿Cuál es tu ocupación favorita?
- ¿Cuál es tu color favorito?
- ¿Y tu flor favorita?
- Si no fueras tú, ¿quién te gustaría ser?
- ¿Quiénes son tus autores favoritos en prosa?
- ¿Y tus pintores y músicos favoritos?
- ¿Quién es tu héroe favorito de novela?
- ¿Cuál es tu comida favorita?, ¿y tu bebida?
- ¿Tienes un nombre favorito? ¿Cuál?
- ¿Cuál es el objeto que menos te gusta?
- ¿Qué personajes de la historia odias más?
- ¿Cuál es tu estado de ánimo actual?
- ¿Cuál es tu frase favorita?

2. 3. 4

16 **¿Sabrías decir por qué partes del cuerpo son famosos estos personajes?**

orejas • manos • bigote • boca • ojos
pelo • piernas • músculos • nariz

Cleopatra · La Gioconda · Clark Gable · Paul Newman
Pelé · A. Schwarzenegger · Groucho Marx · Sansón

17 **Lee atentamente esta noticia de periódico, y dinos qué respuestas son verdaderas. Recuerda que no es necesario que lo entiendas todo.**

Una decisión inesperada

D. B. de 29 años, ha decidido irse a vivir a una residencia de ancianos. La noticia puede sorprender, pero este joven de Buenos Aires ha adoptado esta decisión después de buscar, sin éxito, un piso de alquiler durante meses. D. B se ha instalado en una de las habitaciones del centro y a cambio se encarga de la limpieza y del mantenimiento de las instalaciones. Después de dos meses de convivencia con los ancianos dice que está muy contento con su nueva residencia: "Es grande y soleada", asegura.

1 D. B está viviendo...
- ☐ en una residencia de ancianos.
- ☐ en un piso de alquiler.
- ☐ en un rascacielos.

2 D. B ha ido a vivir a un residencia de ancianos...
- ☐ por que no ha encontrado un piso de alquiler.
- ☐ por que no encontraba trabajo.
- ☐ por que le gustan los lugares exóticos.

3 La habitación de D. B...
- ☐ es grande y luminosa.
- ☐ es muy bonita.
- ☐ no tiene puertas.

4 ¿Cómo se encuentra D. B en su nueva residencia?
- ☐ Un poco deprimido.
- ☐ Muy contento.
- ☐ Aún no se ha acostumbrado.

8

18 **Imagina que estás en un escenario y que tu compañero te pisa. A este actor le ha sucedido. Indica, ayudado por el cuadro, qué expresa cada rostro.**

dolor • sorpresa • disimulo • alegría • sospecha • grito • reflexión

1 2 3 4 5 6 7

8

Grita, ríe, disimula, quéjate, sorpréndete. ¡Ahora ya puedes! ¿Verdad?

Direcciones en Internet
Portal empresarial: www.guiacom.es
Portal de turismo: www.guiaoro.es
Revista de entretenimiento on-line: www.guiadelocio.com

15. Anime a los alumnos a pensar en otras preguntas del tipo de las que aparecen en la actividad para llegar a conocer la personalidad de alguien. Comente en clase las respuestas de los alumnos. Averigüe si hay muchas similitudes de carácter entre ellos. Usted también puede responder a algunas de las preguntas del cuestionario.

16. Pregunte a los alumnos si conocen a otros personajes famosos que destaquen por alguna característica física. Podría aprovechar para ampliar el vocabulario del cuerpo con estas palabras: *dedos*, *codo*, *cintura*, *cadera*, *cejas*, etc.

Actividades alternativas

J. Proponga a los alumnos un juego de mímica. Pida a un voluntario que salga a la pizarra. Éste deberá ir señalando diferentes partes del cuerpo sin decir nada, mientras que sus compañeros deberán decir el nombre exacto de la parte del cuerpo señalada.

Una variante de la actividad es la siguiente. En lugar de pedir a los alumnos una respuesta lingüística, le pedimos una reacción física. El alumno voluntario va diciendo partes del cuerpo y el resto de compañeros deberá ir señalándolas. Esta es una manera fácil de comprobar si los alumnos han aprendido el vocabulario del cuerpo. Este tipo de actividades resultan muy divertidas e introducen un ambiente lúdico en el aula.

17. Pregunte a sus alumnos si al protagonista de la noticia le gusta su vivienda actual y por qué.

9

lecciónnueve9

Reunión de amigos

Lección 9 En portada

Hay muchas maneras de decir las cosas. En esta lección vas a aprender algunas. Cuando te reúnas con tus nuevos amigos vas a saber utilizar las expresiones adecuadas. No importa dónde vayas, siempre serás bienvenido.

Reunión de amigos

138 ciento treinta y ocho

En esta lección vas a aprender:

- Cómo invitar y ofrecer
- La manera de pedir cosas
- A indicar si es posible u obligatorio hacer algo

1a ¡Por fin Antonio ha ido a casa de nuestros amigos! Están haciendo una fiesta. Fíjate bien en la foto y di cuál es la respuesta adecuada.

1 ¿Dónde están nuestros amigos?
- ☐ En la escuela.
- ☐ En un parque.
- ☐ En casa de Lola.

2 ¿Qué hacen?
- ☐ Están estudiando.
- ☐ Están leyendo.
- ☐ Están haciendo una fiesta.

3 ¿Quién ofrece bebida a Antonio?
- ☐ Julián.
- ☐ Andrew.
- ☐ Begoña.

4 ¿Qué hacen Begoña, Lola y Julián?
- ☐ Están comiendo.
- ☐ Están brindando.
- ☐ Están bailando.

5 ¿Cómo están?
- ☐ Están llorando.
- ☐ Están tristes.
- ☐ Están alegres.

1b Señala con una cruz cuáles de los siguientes objetos puedes encontrar en una fiesta. ¿Conoces sus nombres? El cuadro te puede ayudar.

bicicleta • brújula • globos • cartas • antifaz

1 .... ☐ 2 .... ☐ 3 .... ☐ 4 .... ☐ 5 .... ☐

ciento treinta y nueve 139

OBJETIVOS

Los objetivos de esta lección son:

- Proporcionar recursos básicos para ofrecer y pedir ayuda, aceptarla y rechazarla.
- Dotar al alumno de recursos para pedir permiso, objetos o que alguien haga algo.
- Reconocer usos sociales para agradecer, pedir perdón o felicitar.
- Conocer posibilidades de expresar condiciones.
- Capacitar al alumno para expresar y preguntar si es obligatorio o posible hacer algo.
- Ofrecer instrumentos para aceptar y rechazar ofrecimientos.
- Familiarizar al alumno con el uso de las formas de tratamiento *Tú* y *Usted*.
- Conocer la forma del *imperativo*.
- Reconocer posibilidades de combinación de dos pronombres.

El *imperativo negativo* no aparece en esta lección, ya que su proximidad morfológica con el *presente de subjuntivo* aconseja presentarlo en el nivel intermedio. En esta lección, las formas para expresar prohibición son *no tienes que, no debes, no se puede*.

En portada 9

1. Pida a los alumnos que describan la situación que aparece en la foto, explicando quiénes son los personajes que aparecen en ella, dónde están, qué están haciendo, cómo van vestidos, qué comen, qué beben, qué objetos ven, etc.

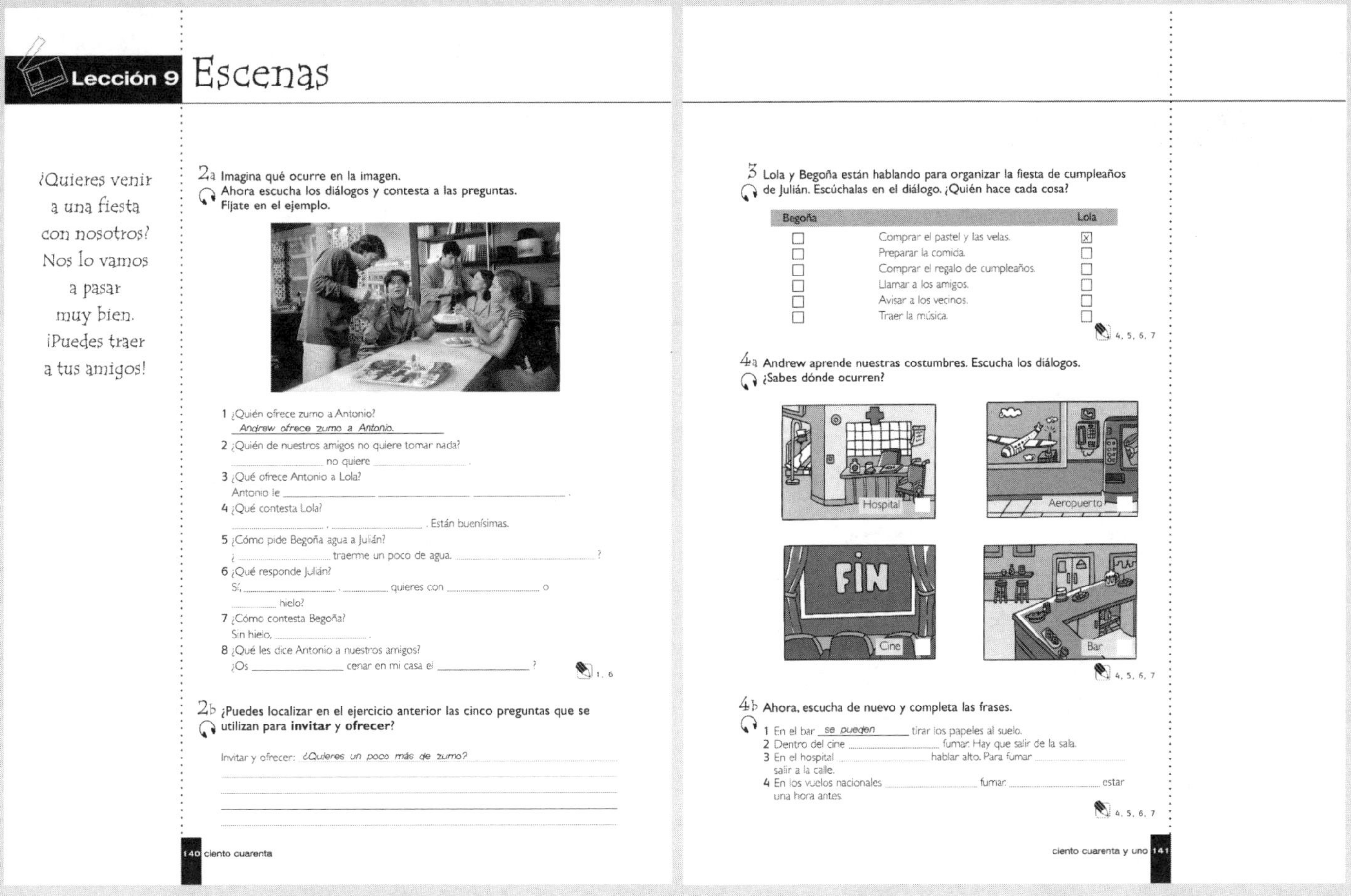

Lección 9 Escenas

¿Quieres venir a una fiesta con nosotros? Nos lo vamos a pasar muy bien. ¡Puedes traer a tus amigos!

2a Imagina qué ocurre en la imagen.
Ahora escucha los diálogos y contesta a las preguntas.
Fíjate en el ejemplo.

1 ¿Quién ofrece zumo a Antonio?
Andrew ofrece zumo a Antonio.
2 ¿Quién de nuestros amigos no quiere tomar nada?
______ no quiere ______ .
3 ¿Qué ofrece Antonio a Lola?
Antonio le ______ ______ ______ .
4 ¿Qué contesta Lola?
______ , ______ . Están buenísimas.
5 ¿Cómo pide Begoña agua a Julián?
¿ ______ traerme un poco de agua. ______ ?
6 ¿Qué responde Julián?
Sí, ______ , ______ quieres con ______ o ______ hielo?
7 ¿Cómo contesta Begoña?
Sin hielo, ______ .
8 ¿Qué les dice Antonio a nuestros amigos?
¿Os ______ cenar en mi casa el ______ ?

1, 6

2b ¿Puedes localizar en el ejercicio anterior las cinco preguntas que se utilizan para invitar y ofrecer?

Invitar y ofrecer: *¿Quieres un poco más de zumo?*

140 ciento cuarenta

3 Lola y Begoña están hablando para organizar la fiesta de cumpleaños de Julián. Escúchalas en el diálogo. ¿Quién hace cada cosa?

Begoña		Lola
☐	Comprar el pastel y las velas.	☒
☐	Preparar la comida.	☐
☐	Comprar el regalo de cumpleaños.	☐
☐	Llamar a los amigos.	☐
☐	Avisar a los vecinos.	☐
☐	Traer la música.	☐

4, 5, 6, 7

4a Andrew aprende nuestras costumbres. Escucha los diálogos. ¿Sabes dónde ocurren?

Hospital ☐ Aeropuerto ☐
FIN
Cine ☐ Bar ☐

4, 5, 6, 7

4b Ahora, escucha de nuevo y completa las frases.

1 En el bar *se pueden* tirar los papeles al suelo.
2 Dentro del cine ______ fumar. Hay que salir de la sala.
3 En el hospital ______ hablar alto. Para fumar ______ salir a la calle.
4 En los vuelos nacionales ______ fumar. ______ estar una hora antes.

4, 5, 6, 7

ciento cuarenta y uno 141

9 Escenas

2. Sistematice en la pizarra con sus alumnos los recursos que aparecen en la actividad para invitar y ofrecer y destaque la variedad de estructuras que podemos utilizar para llevar a cabo una misma función.

3. Destaque las formas que aparecen en el diálogo para expresar obligación de hacer algo: *tener que + infinitivo y hay que + infinitivo*.

Actividades alternativas

A. Entregue a cada alumno una tarjeta con las palabras *desayunar, comer jamón, café, té, azúcar, cenar en casa*, etc. Después, pida a cada uno que formule un ofrecimiento a los compañeros según la palabra que aparece en su tarjeta, por ejemplo: *¿Os apetece desayunar?, ¿Alguien quiere tomar café?, ¿Quieres un poco de azúcar?*, etc.

B. Organice la clase en pequeños grupos. Cada grupo elige uno de estos dos lugares: el metro o un museo. Después, pídales que escriban tres cosas que se pueden hacer y tres cosas que no se pueden hacer en ese lugar. Haga que los grupos que han elegido el mismo lugar intercambien y comparen sus ideas. Puede haber un portavoz de cada grupo que escriba las mejores ideas en una transparencia y las explique en un retroproyector a la clase. Si necesitan vocabulario que no haya aparecido hasta el momento, facilíteselo para que la actividad resulte más rica.

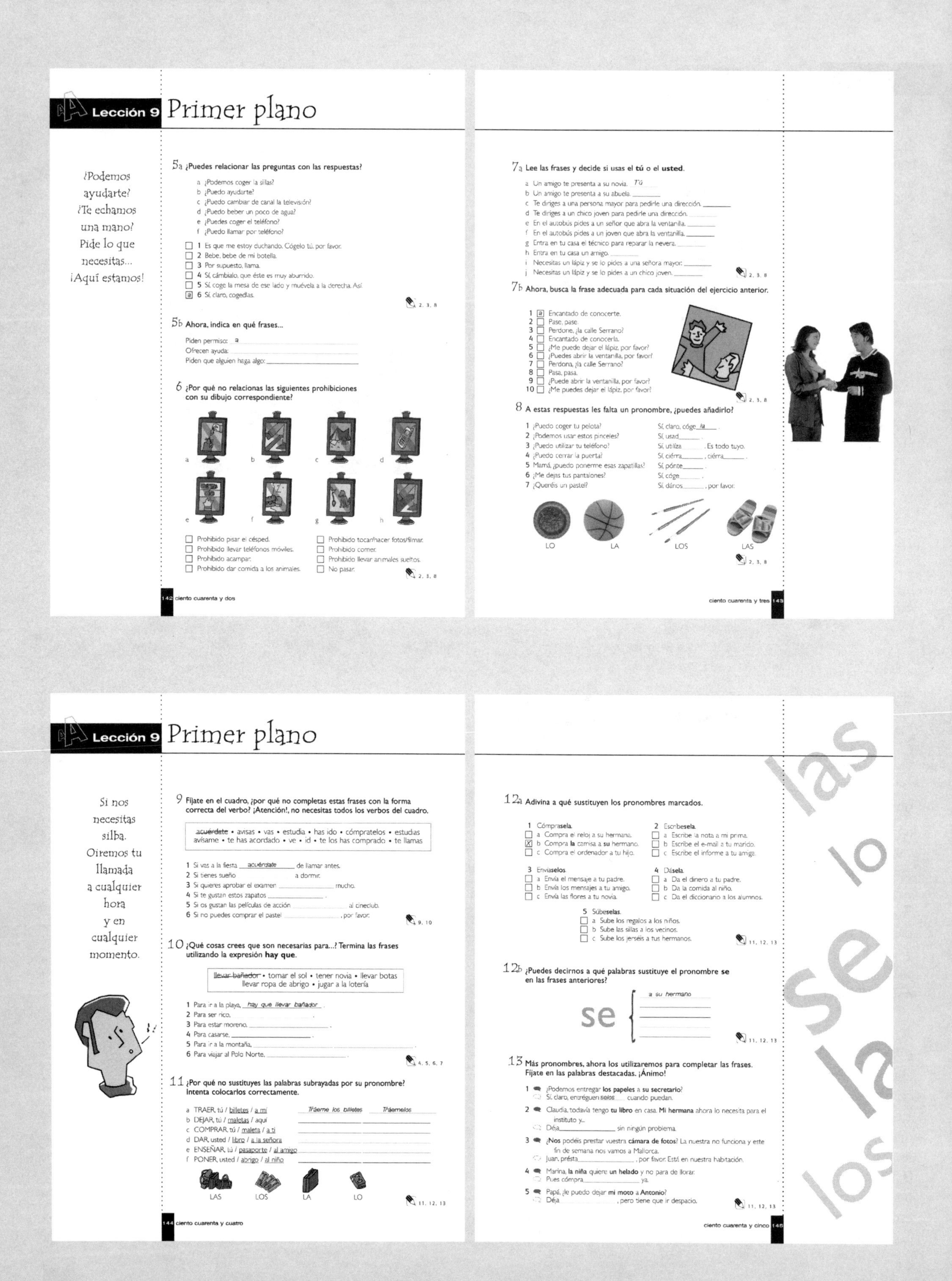

¿Podemos ayudarte? ¿Te echamos una mano? Pide lo que necesitas... ¡Aquí estamos!

5a **¿Puedes relacionar las preguntas con las respuestas?**

a ¿Podemos coger la sillas?
b ¿Puedo ayudarte?
c ¿Puedo cambiar de canal la televisión?
d ¿Puedo beber un poco de agua?
e ¿Puedes coger el teléfono?
f ¿Puedo llamar por teléfono?

☐ 1 Es que me estoy duchando. Cógelo tú, por favor.
☐ 2 Bebe, bebe de mi botella.
☐ 3 Por supuesto, llama.
☐ 4 Sí, cámbialo, que éste es muy aburrido.
☐ 5 Sí, coge la mesa de ese lado y muévela a la derecha. Así.
[a] 6 Sí, claro, cogedlas.

2, 3, 8

5b **Ahora, indica en qué frases...**

Piden permiso: a ______
Ofrecen ayuda: ______
Piden que alguien haga algo: ______

6 **¿Por qué no relacionas las siguientes prohibiciones con su dibujo correspondiente?**

a b c d
e f g h

☐ Prohibido pisar el césped.
☐ Prohibido llevar teléfonos móviles.
☐ Prohibido acampar.
☐ Prohibido dar comida a los animales.
☐ Prohibido tocar/hacer fotos/filmar.
☐ Prohibido comer.
☐ Prohibido llevar animales sueltos.
☐ No pasar.

2, 3, 8

7a **Lee las frases y decide si usas el tú o el usted.**

a Un amigo te presenta a su novia. *Tú*
b Un amigo te presenta a su abuela. ______
c Te diriges a una persona mayor para pedirle una dirección. ______
d Te diriges a un chico joven para pedirle una dirección. ______
e En el autobús pides a un señor que abra la ventanilla. ______
f En el autobús pides a un joven que abra la ventanilla. ______
g Entra en tu casa el técnico para reparar la nevera. ______
h Entra en tu casa un amigo. ______
i Necesitas un lápiz y se lo pides a una señora mayor. ______
j Necesitas un lápiz y se lo pides a un chico joven. ______

2, 3, 8

7b **Ahora, busca la frase adecuada para cada situación del ejercicio anterior.**

1 [a] Encantado de conocerte.
2 ☐ Pase, pase.
3 ☐ Perdone, ¿la calle Serrano?
4 ☐ Encantado de conocerla.
5 ☐ ¿Me puede dejar el lápiz, por favor?
6 ☐ ¿Puedes abrir la ventanilla, por favor?
7 ☐ Perdona, ¿la calle Serrano?
8 ☐ Pasa, pasa.
9 ☐ ¿Puede abrir la ventanilla, por favor?
10 ☐ ¿Me puedes dejar el lápiz, por favor?

2, 3, 8

8 **A estas respuestas les falta un pronombre, ¿puedes añadirlo?**

1 ¿Puedo coger tu pelota? — Sí, claro, cóge*la*.
2 ¿Podemos usar estos pinceles? — Sí, usad______.
3 ¿Puedo utilizar tu teléfono? — Sí, utilíza______. Es todo tuyo.
4 ¿Puedo cerrar la puerta? — Sí, ciérra______, ciérra______.
5 Mamá, ¿puedo ponerme esas zapatillas? — Sí, pónte______.
6 ¿Me dejas tus pantalones? — Sí, cóge______.
7 ¿Queréis un pastel? — Sí, dános______, por favor.

LO LA LOS LAS

2, 3, 8

Si nos necesitas silba. Oiremos tu llamada a cualquier hora y en cualquier momento.

9 **Fíjate en el cuadro, ¿por qué no completas estas frases con la forma correcta del verbo? ¡Atención!, no necesitas todos los verbos del cuadro.**

~~acuérdate~~ • avisas • vas • estudia • has ido • cómpratelos • estudias
avísame • te has acordado • ve • id • te los has comprado • te llamas

1 Si vas a la fiesta *acuérdate* de llamar antes.
2 Si tienes sueño ______ a dormir.
3 Si quieres aprobar el examen ______ mucho.
4 Si te gustan estos zapatos ______.
5 Si os gustan las películas de acción ______ al cineclub.
6 Si no puedes comprar el pastel ______, por favor.

9, 10

10 **¿Qué cosas crees que son necesarias para...? Termina las frases utilizando la expresión hay que.**

~~llevar bañador~~ • tomar el sol • tener novia • llevar botas
llevar ropa de abrigo • jugar a la lotería

1 Para ir a la playa, *hay que llevar bañador*.
2 Para ser rico, ______.
3 Para estar moreno, ______.
4 Para casarse, ______.
5 Para ir a la montaña, ______.
6 Para viajar al Polo Norte, ______.

4, 5, 6, 7

11 **¿Por qué no sustituyes las palabras subrayadas por su pronombre? Intenta colocarlos correctamente.**

a TRAER, tú / billetes / a mí — *Tráeme los billetes* — *Tráemelos*
b DEJAR, tú / maletas / aquí — ______ — ______
c COMPRAR, tú / maleta / a ti — ______ — ______
d DAR, usted / libro / a la señora — ______ — ______
e ENSEÑAR, tú / pasaporte / al amigo — ______ — ______
f PONER, usted / abrigo / al niño — ______ — ______

LAS LOS LA LO

11, 12, 13

12a **Adivina a qué sustituyen los pronombres marcados.**

1 Cómpra**sela**.
☐ a Compra el reloj a su hermana.
☒ b Compra **la** camisa a **su** hermano.
☐ c Compra el ordenador a tu hijo.

2 Escribe**sela**.
☐ a Escribe la nota a mi prima.
☐ b Escribe el e-mail a tu marido.
☐ c Escribe el informe a tu amiga.

3 Envía**selos**.
☐ a Envía el mensaje a tu padre.
☐ b Envía los mensajes a tu amigo.
☐ c Envía las flores a tu novia.

4 Dá**sela**.
☐ a Da el dinero a tu padre.
☐ b Da la comida al niño.
☐ c Da el diccionario a los alumnos.

5 Súbe**selas**.
☐ a Sube los regalos a los niños.
☐ b Sube las sillas a los vecinos.
☐ c Sube los jerséis a tus hermanos.

11, 12, 13

12b **¿Puedes decirnos a qué palabras sustituye el pronombre se en las frases anteriores?**

se { *a su hermano* / ______ / ______ / ______ / ______

11, 12, 13

13 **Más pronombres, ahora los utilizaremos para completar las frases. Fíjate en las palabras destacadas. ¡Ánimo!**

1 ¿Podemos entregar **los papeles** a **su secretario**?
Sí, claro, entréguen*selos* cuando puedan.
2 Claudia, todavía tengo **tu libro** en casa. **Mi hermana** ahora lo necesita para el instituto y...
Déja______ sin ningún problema.
3 ¿**Nos** podéis prestar vuestra **cámara de fotos**? La nuestra no funciona y este fin de semana nos vamos a Mallorca.
Juan, présta______, por favor. Está en nuestra habitación.
4 Marina, **la niña** quiere **un helado** y no para de llorar.
Pues cómpra______ ya.
5 Papá, ¿le puedo dejar **mi moto** a **Antonio**?
Déja______, pero tiene que ir despacio.

11, 12, 13

las lo se la los

Para hablar de la posibilidad u obligación de hacer algo se usan las perífrasis verbales: *hay que + infinitivo*, *tener que + infinitivo*, *se puede + infinitivo*.

5. Destaque cómo únicamente con el verbo *poder* varía sutilmente la intención del hablante de pedir permiso, ya que también permite ofrecer ayuda y pedir que el interlocutor haga una acción.

6. Puede relacionar las frases del ejercicio con la estructura *no se puede + infinitivo*.

7. Si lo cree necesario, indique que las normas de tratamiento formal o informal son variables y cambian a medida que cambia la sociedad, y en España hay una tendencia al abandono de *usted*. También puede informar que *usted* tiene un uso mucho más amplio en el español americano y que *ustedes* es la única forma de segunda persona plural, porque no existe la forma *vosotros*.

Puede plantear nuevas situaciones para que los alumnos opinen sobre la formalidad de la situación, p. ej.: con el médico, coger un taxi, comentar un examen con el profesor, pedir ayuda a un desconocido, etc. Intente siempre explicar los elementos necesarios para contextualizar la situación: tipo de relación entre los interlocutores, contexto en el que se produce el intercambio, etc.

8. En este ejercicio se presenta la forma de *imperativo* y el uso de pronombres.

9. Destaque que las frases expresan condición con un verbo en *imperativo*.

11, 12 y 13. En esta serie de ejercicios se presenta y sistematiza el uso de los pronombres cuando aparecen junto a formas verbales de *imperativo*.

Actividades alternativas

C. Proponga a sus alumnos que pidan a sus compañeros objetos de la clase, como un lápiz, un diccionario, un libro, un pañuelo, una hoja de papel, etc. Revise antes las estructuras para hacerlo, por ejemplo: *¿Me dejas tu diccionario, por favor?* o *¿Puedo coger tu lápiz un momento?* Ponga énfasis en que puede ofrecer el objeto usando el doble imperativo como forma de cortesía, p. ej. *Toma, toma*, y si decide no dejar el objeto, deberá suavizar la negativa dando un argumento, p. ej.: *Es que ahora lo necesito yo*.

Recuerde a sus alumnos estas estructuras en español cuando, de ahora en adelante, se pidan entre sí objetos o hagan acciones con un propósito comunicativo auténtico en el aula.

D. Prepare tarjetas en las que aparezcan necesidades como p. ej.: *tienes frío*; *tienes calor*; *necesitas un diccionario*; *un compañero no te deja ver la pizarra*, etc. Entregue una tarjeta a cada alumno y pídales que soliciten a un compañero que haga una acción para resolver la necesidad, p. ej.: *¿Puedes cerrar la ventana? Es que tengo frío*.

E. Pregunte a sus alumnos qué prohibiciones eliminarían y qué otras prohibiciones crearían de nuevo en su ciudad ideal. Puede animar a los alumnos a que propongan prohibiciones de tipo humorístico.

F. Anime a los alumnos a completar estas frases con condiciones, por ejemplo:

- Si llueve...;
- Si no te llamo por teléfono...;
- Si llegas tarde...;
- Si vienes con un amigo...;
- Si quieres ir al cine...;
- Si quieres ser rico...;
- Si ves a una persona en el suelo...;
- Si ves un perro muy grande...

Estimule tanto la originalidad y gracia de las respuestas como la corrección gramatical.

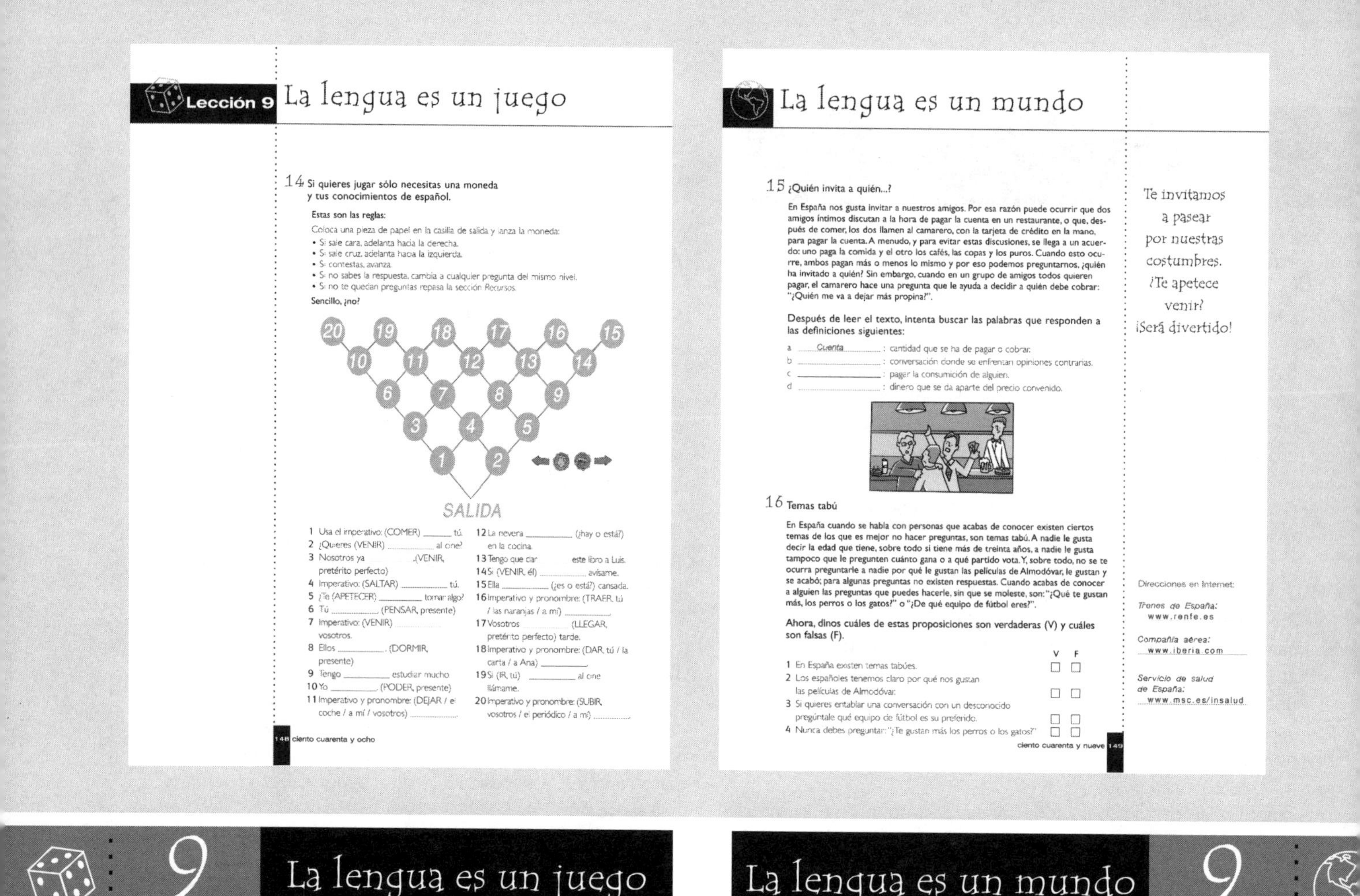

Lección 9 La lengua es un juego

14 Si quieres jugar sólo necesitas una moneda y tus conocimientos de español.

Estas son las reglas:

Coloca una pieza de papel en la casilla de salida y lanza la moneda:
- Si sale cara, adelanta hacia la derecha.
- Si sale cruz, adelanta hacia la izquierda.
- Si contestas, avanza.
- Si no sabes la respuesta, cambia a cualquier pregunta del mismo nivel.
- Si no te quedan preguntas repasa la sección *Recursos*.

Sencillo, ¿no?

20 19 18 17 16 15
10 11 12 13 14
6 7 8 9
3 4 5
1 2

SALIDA

1 Usa el imperativo: (COMER) ______ tú.
2 ¿Quieres (VENIR) ______ al cine?
3 Nosotros ya ______ .(VENIR, pretérito perfecto)
4 Imperativo: (SALTAR) ______ tú.
5 ¿Te (APETECER) ______ tomar algo?
6 Tú ______ (PENSAR, presente)
7 Imperativo: (VENIR) ______ vosotros.
8 Ellos ______ . (DORMIR, presente)
9 Tengo ______ estudiar mucho
10 Yo ______ . (PODER, presente)
11 Imperativo y pronombre: (DEJAR / el coche / a mí / vosotros) ______.
12 La nevera ______ (¿hay o está?) en la cocina.
13 Tengo que dar ______ este libro a Luis.
14 Si (VENIR, él) ______ avísame.
15 Ella ______ (¿es o está?) cansada.
16 Imperativo y pronombre: (TRAER, tú / las naranjas / a mí) ______.
17 Vosotros ______ (LLEGAR, pretérito perfecto) tarde.
18 Imperativo y pronombre: (DAR, tú / la carta / a Ana) ______.
19 Si (IR, tú) ______ al cine llámame.
20 Imperativo y pronombre: (SUBIR, vosotros / el periódico / a mí) ______.

148 ciento cuarenta y ocho

La lengua es un mundo

15 ¿Quién invita a quién...?

En España nos gusta invitar a nuestros amigos. Por esa razón puede ocurrir que dos amigos íntimos discutan a la hora de pagar la cuenta en un restaurante, o que, después de comer, los dos llamen al camarero, con la tarjeta de crédito en la mano, para pagar la cuenta. A menudo, y para evitar estas discusiones, se llega a un acuerdo: uno paga la comida y el otro los cafés, las copas y los puros. Cuando esto ocurre, ambos pagan más o menos lo mismo y por eso podemos preguntarnos, ¿quién ha invitado a quién? Sin embargo, cuando en un grupo de amigos todos quieren pagar, el camarero hace una pregunta que le ayuda a decidir a quién debe cobrar: "¿Quién me va a dejar más propina?".

Después de leer el texto, intenta buscar las palabras que responden a las definiciones siguientes:

a *Cuenta* : cantidad que se ha de pagar o cobrar.
b ______ : conversación donde se enfrentan opiniones contrarias.
c ______ : pagar la consumición de alguien.
d ______ : dinero que se da aparte del precio convenido.

Te invitamos a pasear por nuestras costumbres. ¿Te apetece venir? ¡Será divertido!

16 Temas tabú

En España cuando se habla con personas que acabas de conocer existen ciertos temas de los que es mejor no hacer preguntas, son temas tabú. A nadie le gusta decir la edad que tiene, sobre todo si tiene más de treinta años, a nadie le gusta tampoco que le pregunten cuánto gana o a qué partido vota. Y, sobre todo, no se te ocurra preguntarle a nadie por qué le gustan las películas de Almodóvar, le gustan y se acabó; para algunas preguntas no existen respuestas. Cuando acabas de conocer a alguien las preguntas que puedes hacerle, sin que se moleste, son: "¿Qué te gustan más, los perros o los gatos?" o "¿De qué equipo de fútbol eres?".

Ahora, dinos cuáles de estas proposiciones son verdaderas (V) y cuáles son falsas (F).

	V	F
1 En España existen temas tabúes.	☐	☐
2 Los españoles tenemos claro por qué nos gustan las películas de Almodóvar.	☐	☐
3 Si quieres entablar una conversación con un desconocido pregúntale qué equipo de fútbol es su preferido.	☐	☐
4 Nunca debes preguntar: "¿Te gustan más los perros o los gatos?"	☐	☐

Direcciones en Internet:

Trenes de España: www.renfe.es

Compañía aérea: www.iberia.com

Servicio de salud de España: www.msc.es/insalud

ciento cuarenta y nueve 149

9 La lengua es un juego

1 4. Los alumnos pueden participar por parejas o en equipos.

Una alternativa es animar a los alumnos a que sean ellos mismos los que elaboren las preguntas del juego. Para ello, organice la clase en equipos para que elaboren conjuntamente veinte preguntas. Después, las preguntas se intercambiarán entre los equipos. Este ejercicio estimulará a los alumnos a repasar los contenidos presentados hasta el momento.

La lengua es un mundo 9

1 5. Exponga a los alumnos el doble significado de la palabra *invitar*, en el sentido de ofrecer y en el sentido de pagar la cuenta, y explique que ésta es una situación muy habitual en nuestra cultura. En casos como éste, deben acordar que la persona invitada invite a continuación a otra consumición, o que pague en otra ocasión. Pregunte a los alumnos si ocurre algo parecido en sus países. Solicite que expresen su opinión sobre esta costumbre.

Ejemplifique alguna situación típica de disputa a la hora de pagar la cuenta y anime a que un par de voluntarios escenifiquen una situación del mismo estilo.

1 6. Añada, si lo considera oportuno, más temas tabú, por ejemplo: religión, sexo, política, violencia, etc. Anime a los alumnos a comparar estos temas tabú con los que existen en sus países y a percibir diferencias y semejanzas culturales. Trate con delicadeza los temas que son tabú para alguno de los alumnos y evite cualquier opinión discriminatoria.

10

lección diez 10

¿Quieres conocer un poco más a nuestros amigos?

Lección 10 En portada

En esta lección vas a conocer algunos detalles sobre la vida de Lola, Julián, Begoña y Andrew antes de conocerse. ¿Descubrirás algún secreto? ¡No esperes más y empieza a investigar!

¿Quieres conocer un poco más a nuestros amigos?

156 ciento cincuenta y seis

En esta lección vas a aprender:

- A contar lo que sucedió en el pasado
- A expresar conocimiento, desconocimiento y probabilidad

1a Éstas son las fotografías de nuestros amigos.
Mirando las fotografías, intenta responder: ¿quién es quién?

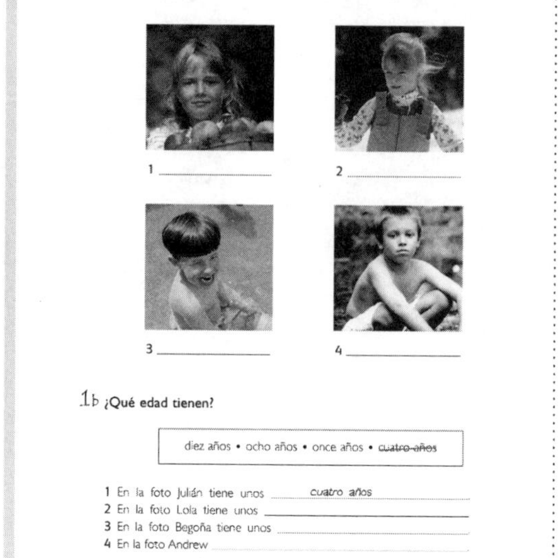

1 ______ 2 ______

3 ______ 4 ______

1b ¿Qué edad tienen?

diez años • ocho años • once años • ~~cuatro años~~

1 En la foto Julián tiene unos *cuatro años*
2 En la foto Lola tiene unos ______
3 En la foto Begoña tiene unos ______
4 En la foto Andrew ______

ciento cincuenta y siete 157

OBJETIVOS

Los objetivos de esta lección son:

- Dotar al alumno de recursos para referirse a acciones del pasado.
- Proporcionar recursos básicos para explicar vidas pasadas y experiencias personales.
- Capacitar al alumno para expresar conocimiento o desconocimiento.
- Ofrecer instrumentos para expresar y preguntar por el grado de seguridad o inseguridad.
- Conocer la forma y uso del *pretérito indefinido.*
- Conocer los marcadores temporales más frecuentes: *ayer, el otro día, el año pasado, en abril*, etc.
- Familiarizar al alumno con el contraste entre el *pretérito perfecto* y el *pretérito indefinido* en función de los marcadores temporales.

El *pretérito perfecto* fue presentado en la Lección 8. Ahora se amplía su uso según los marcadores que acompañan a ese tiempo en oposición a los propios del *pretérito indefinido.*

En portada 10

1. Anime a sus alumnos a que usen los exponentes para expresar conocimiento, desconocimiento y probabilidad que aparecen en esta lección *(Creo / Me parece que; Seguro; No lo sé)* para relacionar las cuatro fotos con un nombre y una edad.

Actividades alternativas

A. Pregunte a sus alumnos si alguna vez han tenido una cita a ciegas. Anímeles a imaginarse que dentro de pocos días van a tener una. Indíqueles que antes de encontrarse con la persona, tienen que enviar un pequeño resumen de su vida, en el que expliquen en seis frases los acontecimientos que creen más interesantes. Indíqueles que deben escoger algunos de los marcadores temporales que han visto a lo largo de la lección, p. ej.: *El verano pasado fui a Chile con unos amigos.*

Si lo estima oportuno, una alternativa es animar a sus alumnos a que inventen su biografía incluyendo datos ficticios que resulten divertidos. Otra alternativa es que cada alumno escriba un currículo abreviado.

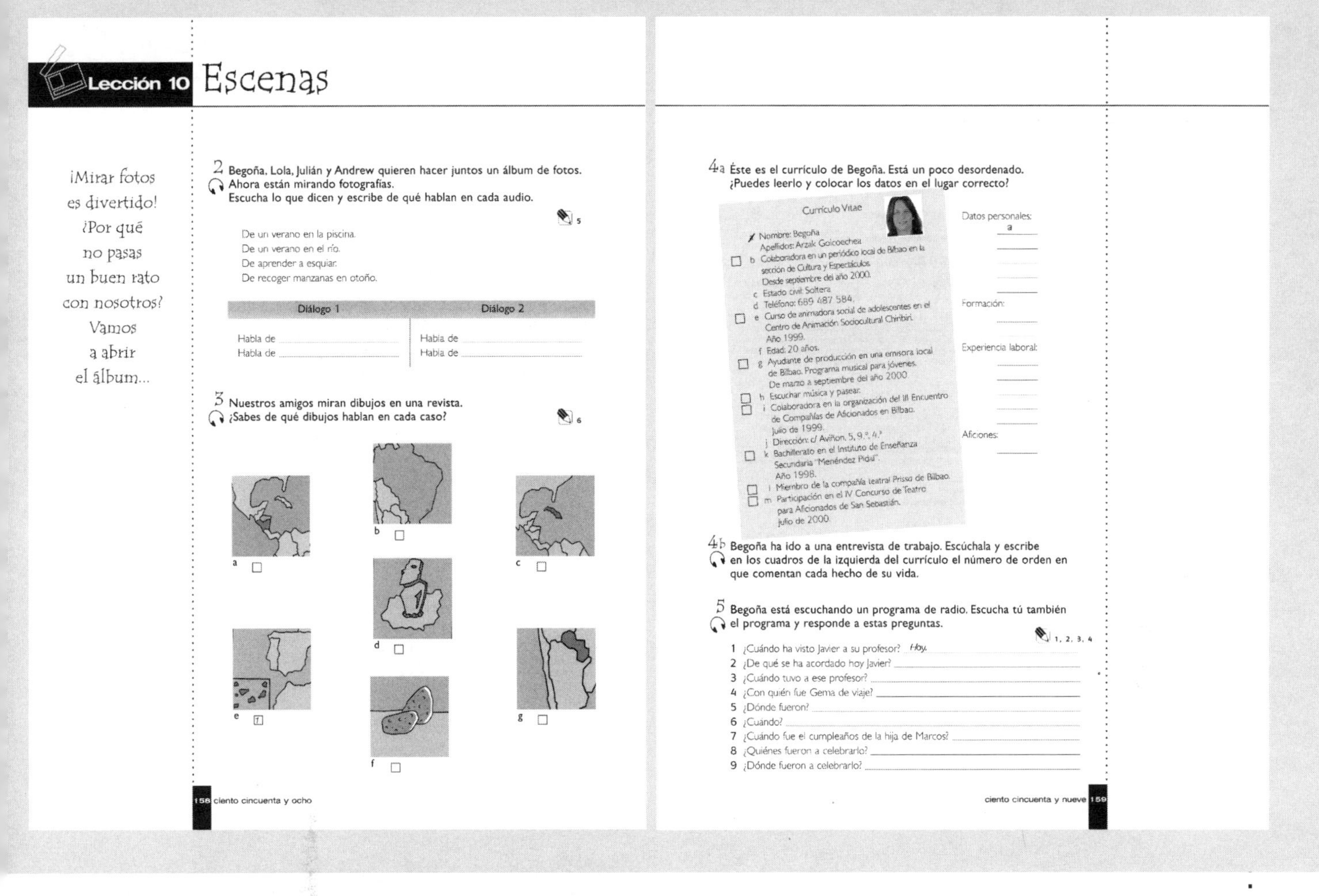

Lección 10 Escenas

¡Mirar fotos es divertido! ¿Por qué no pasas un buen rato con nosotros? Vamos a abrir el álbum...

2 Begoña, Lola, Julián y Andrew quieren hacer juntos un álbum de fotos. Ahora están mirando fotografías.
Escucha lo que dicen y escribe de qué hablan en cada audio.

5

De un verano en la piscina.
De un verano en el río.
De aprender a esquiar.
De recoger manzanas en otoño.

Diálogo 1	Diálogo 2
Habla de	Habla de ....
Habla de	Habla de ....

3 Nuestros amigos miran dibujos en una revista.
¿Sabes de qué dibujos hablan en cada caso?

6

a ☐ b ☐ c ☐ d ☐ e [f] f ☐ g ☐

158 ciento cincuenta y ocho

4a Éste es el currículo de Begoña. Está un poco desordenado.
¿Puedes leerlo y colocar los datos en el lugar correcto?

Currículo Vitae

a Nombre: Begoña
Apellidos: Arzak Goicoechea
☐ b Colaboradora en un periódico local de Bilbao en la sección de Cultura y Espectáculos. Desde septiembre del año 2000.
c Estado civil: Soltera
d Teléfono: 689 487 584.
☐ e Curso de animadora social de adolescentes en el Centro de Animación Sociocultural Chiribiri. Año 1999.
f Edad: 20 años.
☐ g Ayudante de producción en una emisora local de Bilbao. Programa musical para jóvenes. De marzo a septiembre del año 2000.
☐ h Escuchar música y pasear.
☐ i Colaboradora en la organización del III Encuentro de Compañías de Aficionados en Bilbao. Julio de 1999.
j Dirección: c/ Aviñon, 5, 9.º, 4.ª
☐ k Bachillerato en el Instituto de Enseñanza Secundaria "Menéndez Pidal". Año 1998.
☐ l Miembro de la compañía teatral Prisso de Bilbao.
☐ m Participación en el IV Concurso de Teatro para Aficionados de San Sebastián. Julio de 2000.

Datos personales: a ______
Formación: ______
Experiencia laboral: ______
Aficiones: ______

4b Begoña ha ido a una entrevista de trabajo. Escúchala y escribe en los cuadros de la izquierda del currículo el número de orden en que comentan cada hecho de su vida.

5 Begoña está escuchando un programa de radio. Escucha tú también el programa y responde a estas preguntas.

1, 2, 3, 4

1 ¿Cuándo ha visto Javier a su profesor? *Hoy.*
2 ¿De qué se ha acordado hoy Javier? ______
3 ¿Cuándo tuvo a ese profesor? ______
4 ¿Con quién fue Gema de viaje? ______
5 ¿Dónde fueron? ______
6 ¿Cuándo? ______
7 ¿Cuándo fue el cumpleaños de la hija de Marcos? ______
8 ¿Quiénes fueron a celebrarlo? ______
9 ¿Dónde fueron a celebrarlo? ______

ciento cincuenta y nueve 159

10 Escenas

2. Pregunte a los alumnos si alguno de ellos ha hecho alguna vez alguna de las actividades que se mencionan en los diálogos: estar todo el verano en la piscina, recoger manzanas, nadar en un río y aprender a esquiar. Puede encontrarse con alguna sorpresa. Anímeles a que expliquen qué hicieron, sus sentimientos, sus emociones, etc..

3. Antes de escuchar los diálogos, pregunte a sus alumnos si saben a qué se refieren algunos de los dibujos para que formulen estructuras de seguridad o inseguridad. Si quiere, puede comentar la singularidad de la isla de Pascua y de sus esculturas.

4. Como actividad previa a la audición, los alumnos tienen que clasificar los datos del currículo en cuatro categorías. La lectura ordenada de los datos le facilitará al alumno la comprensión de la audición. Observe que aunque el diálogo puede resultar difícil, en el ejercicio sólo se pide al alumno que reconozca en qué orden se comentan en la entrevista los datos del currículo. Si lo considera apropiado, puede hacer una comprensión más exhaustiva de la información del texto y del diálogo. Destaque, si es necesario con la transcripción, la aparición de las formas de *indefinido*.

5. Destaque cómo en el diálogo aparecen formas en pasado de *indefinido* y *perfecto*. Fije la atención de sus alumnos en los marcadores temporales que acompañan a cada forma verbal.

Actividades alternativas

B. Lleve fotos de personajes, paisajes, cuadros, objetos, etc. Haga una o varias preguntas sobre una foto que permitan a sus alumnos expresar conocimiento, desconocimiento y probabilidad. Por ejemplo, *¿Dónde está?, ¿Quién es?, ¿Cuántos años tiene?, ¿Quién es el autor?, ¿Qué hace?*, etc. Si cree que servirá de ayuda a sus alumnos, escriba en la pizarra los exponentes para expresar estas funciones y algunas preguntas que se puedan hacer sobre las fotos.

Una vez que los alumnos comprendan en qué consiste la actividad, organice la clase en grupos y distribuya las fotos entre ellos. Los alumnos comentarán o se preguntarán entre sí qué saben de lo que aparece en cada foto. Después, haga que alternativamente los alumnos de un grupo muestren una foto a los compañeros de los otros grupos y les formulen preguntas.

Vamos a dar un paseo por la historia, ¿nos acompañas? Te enseñamos a contar qué ocurrió en el pasado.

6a Lola ha encontrado una noticia interesante para un reportaje, pero está desordenada. ¿Por qué no la ayudas a ordenarla? Puedes usar el diccionario. 1, 2, 3, 4

LA CIUDAD DA LA BIENVENIDA A LOS JÓVENES ARTISTAS

- [ ] El alcalde de la ciudad llegó a media mañana y afirmó: "Nuestros jóvenes artistas tienen muy buenas ideas. Por eso el Ayuntamiento se compromete a ayudarlos en todo lo posible."
- [ ] En resumen, ayer fue un día especial para todos: para el Museo, porque organizó por primera vez una exposición de este tipo; para los jóvenes artistas, porque expusieron en uno de los museos más importantes de la ciudad; y para todos los ciudadanos, porque conocieron a los artistas del futuro.
- [ ] Los ciudadanos disfrutaron durante toda la jornada de los cuadros, las esculturas y los espectáculos multimedia de estos jóvenes creadores.
- [ ] Al finalizar el acto, la dirección del museo aseguró: "La exposición ha sido un éxito. Los ciudadanos han recibido a estos nuevos talentos con mucho entusiasmo".
- [1] El Museo de Arte Contemporáneo abrió ayer sus puertas para celebrar una ocasión muy especial: la primera exposición de los jóvenes artistas de la ciudad.

6b Fíjate en la noticia anterior. ¿De cuántas maneras diferentes se nombra a los jóvenes artistas en la noticia?

1 ________ 2 ________ 3 ________

7a Andrew tiene estas frases desordenadas, ¿puedes relacionarlas correctamente? 1, 2, 3, 4

Gaudí	SER	el submarino.
Felipe González	DESCUBRIR	el premio Nobel de Literatura.
Gabriel García Márquez	INVENTAR	el virus del SIDA.
Narcís Monturiol	DISEÑAR	presidente del Gobierno español.
Gallo y Montaigner	GANAR	la Sagrada Familia.

7b Ahora escribe las frases anteriores con los verbos en la forma correcta.

1 *Gaudí diseñó la Sagrada Familia*
2 ________
3 ________
4 ________
5 ________

8 Hoy Lola ha recibido una postal de su amiga Carlota, que está de vacaciones a Almería, en el sur de España. ¿Puedes explicar qué hicieron Carlota y sus amigos? 5

¡Hola, Lola!
¿Cómo estás? Yo, muy bien. Estoy pasando unas vacaciones estupendas en Almería. ¿Y las tuyas? Ya me contarás.
*Estos días no hemos parado ni un minuto. Te cuento. Ayer (ESTAR, nosotros) **estuvimos** todo el día en la playa. Fue fantástico. Por la mañana, unos (HACER, ellos) ________ wind-surf y nosotros (TOMAR, nosotros) ________ el sol y (BAÑARSE) ________. Al mediodía (IR, nosotros) ________ a un restaurante de la playa y (COMER, nosotros) ________ una paella buenísima. Ah, y (BEBER, nosotros) ________ un poco de sangría, ya sabes... el último día de vacaciones. Al final (HACER, nosotros) ________ muchas fotos. Todos queremos un recuerdo de estas vacaciones.*
¡Hasta pronto! Un beso. Carlota.

Lola Amigó Garriga
c/ Aviñón, 5
08030 Barcelona
España

9 Aquí tienes algunos datos incompletos de la historia reciente de España. ¿Sabes qué pasó y en qué año? Escucha y comprueba si tus predicciones son correctas.

1 La Guerra Civil, empezó en ________ y ________ en 1939.
2 En ________ murió Franco.
3 Las primeras elecciones generales ________ en 1977.
4 El partido socialista gobernó de ________ a 1996.
5 España ________ en la Unión Europea en 1986.
6 Las Olimpiadas de Barcelona fueron en ________.

1, 2, 3, 4

Lección 10 Primer plano

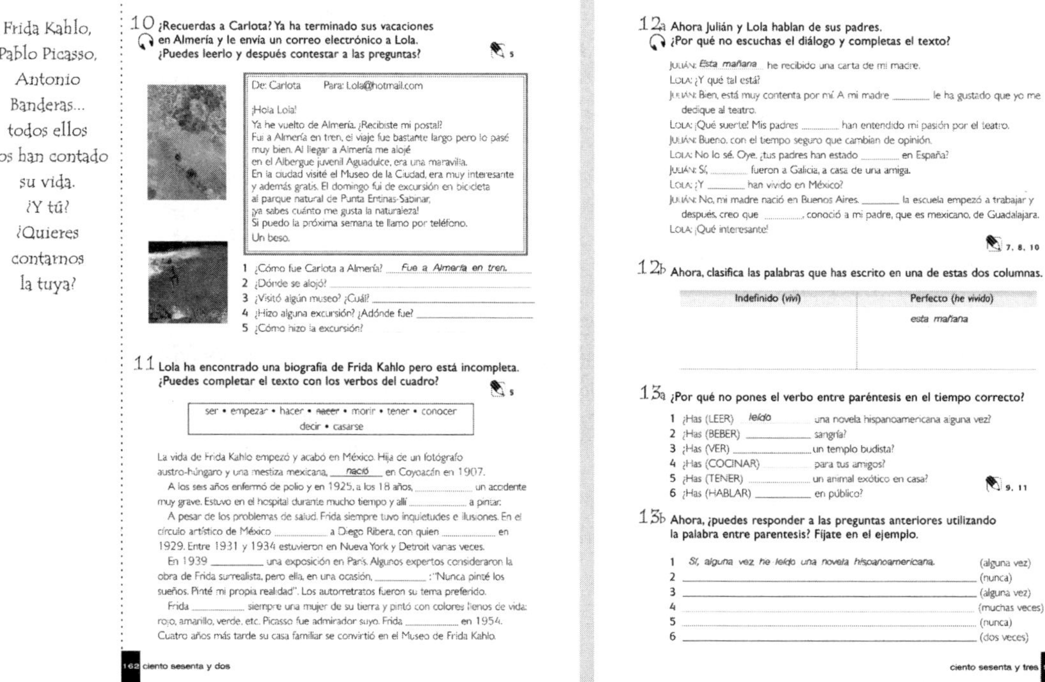

Frida Kahlo, Pablo Picasso, Antonio Banderas... todos ellos nos han contado su vida. ¿Y tú? ¿Quieres contarnos la tuya?

10 ¿Recuerdas a Carlota? Ya ha terminado sus vacaciones en Almería y le envía un correo electrónico a Lola. ¿Puedes leerlo y después contestar a las preguntas? 5

De: Carlota Para: Lola@hotmail.com

¡Hola Lola!
Ya he vuelto de Almería. ¿Recibiste mi postal?
Fui a Almería en tren, el viaje fue bastante largo pero lo pasé muy bien. Al llegar a Almería me alojé en el Albergue juvenil Aguadulce, era una maravilla.
En la ciudad visité el Museo de la Ciudad, era muy interesante y además gratis. El domingo fui de excursión en bicicleta al parque natural de Punta Entinas-Sabinar, ¡ya sabes cuánto me gusta la naturaleza!
Si puedo la próxima semana te llamo por teléfono.
Un beso.

1 ¿Cómo fue Carlota a Almería? *Fue a Almería en tren.*
2 ¿Dónde se alojó? ________
3 ¿Visitó algún museo? ¿Cuál? ________
4 ¿Hizo alguna excursión? ¿Adónde fue? ________
5 ¿Cómo hizo la excursión? ________

11 Lola ha encontrado una biografía de Frida Kahlo pero está incompleta. ¿Puedes completar el texto con los verbos del cuadro? 5

ser • empezar • hacer • ~~nacer~~ • morir • tener • conocer • decir • casarse

La vida de Frida Kahlo empezó y acabó en México. Hija de un fotógrafo austro-húngaro y una mestiza mexicana, *nació* en Coyoacán en 1907.

A los seis años enfermó de polio y en 1925, a los 18 años, ________ un accidente muy grave. Estuvo en el hospital durante mucho tiempo y allí ________ a pintar.

A pesar de los problemas de salud, Frida siempre tuvo inquietudes e ilusiones. En el círculo artístico de México ________ a Diego Ribera, con quien ________ en 1929. Entre 1931 y 1934 estuvieron en Nueva York y Detroit varias veces.

En 1939 ________ una exposición en París. Algunos expertos consideraron la obra de Frida surrealista, pero ella, en una ocasión, ________: "Nunca pinté los sueños. Pinté mi propia realidad". Los autorretratos fueron su tema preferido.

Frida ________ siempre una mujer de su tierra y pintó con colores llenos de vida: rojo, amarillo, verde, etc. Picasso fue admirador suyo. Frida ________ en 1954. Cuatro años más tarde su casa familiar se convirtió en el Museo de Frida Kahlo.

12a Ahora Julián y Lola hablan de sus padres. ¿Por qué no escuchas el diálogo y completas el texto?

JULIÁN: *Esta mañana* he recibido una carta de mi madre.
LOLA: ¿Y qué tal está?
JULIÁN: Bien, está muy contenta por mí. A mi madre ________ le ha gustado que yo me dedique al teatro.
LOLA: ¡Qué suerte! Mis padres ________ han entendido mi pasión por el teatro.
JULIÁN: Bueno, con el tiempo seguro que cambian de opinión.
LOLA: No lo sé. Oye, ¿tus padres han estado ________ en España?
JULIÁN: Sí, ________ fueron a Galicia, a casa de una amiga.
LOLA: ¿Y ________ han vivido en México?
JULIÁN: No, mi madre nació en Buenos Aires. ________ la escuela empezó a trabajar y después, creo que ________, conoció a mi padre, que es mexicano, de Guadalajara.
LOLA: ¡Qué interesante!

7, 8, 10

12b Ahora, clasifica las palabras que has escrito en una de estas dos columnas.

Indefinido (*viví*)	Perfecto (*he vivido*)
	esta mañana

13a ¿Por qué no pones el verbo entre paréntesis en el tiempo correcto?

1 ¿Has (LEER) *leído* una novela hispanoamericana alguna vez?
2 ¿Has (BEBER) ________ sangría?
3 ¿Has (VER) ________ un templo budista?
4 ¿Has (COCINAR) ________ para tus amigos?
5 ¿Has (TENER) ________ un animal exótico en casa?
6 ¿Has (HABLAR) ________ en público?

9, 11

13b Ahora, ¿puedes responder a las preguntas anteriores utilizando la palabra entre parentesis? Fíjate en el ejemplo.

1 *Sí, alguna vez he leído una novela hispanoamericana.* (alguna vez)
2 ________ (nunca)
3 ________ (alguna vez)
4 ________ (muchas veces)
5 ________ (nunca)
6 ________ (dos veces)

6. Como primera lectura, puede pedir a sus alumnos que localicen en los fragmentos de la noticia todas las formas de *indefinido*, a qué verbo se corresponde y qué significa. Una vez ordenados los fragmentos del texto, puede pedir a sus alumnos que escriban un resumen de la noticia de cincuenta palabras con sus propias palabras.

7. Puede profundizar en la información cultural relacionada con los personajes. Observe que todos son personajes del mundo hispano, excepto los investigadores Gallo y Montaigner.

8. Destaque en la postal la aparición de la forma de *perfecto hemos parado* vinculada al marcador temporal *estos días*.

9. Como actividad de preaudición, los alumnos tienen que leer las frases, acudir a sus conocimientos de cultura y, en caso de desconocer los datos, formular hipótesis de los datos para completar las frases. Al igual que en el ejercicio 7, las frases y el diálogo permiten profundizar en la información cultural de los acontecimientos de la historia reciente de España. Averigüe qué otros acontecimientos históricos conocen los alumnos sobre España y también cuáles son sus intereses respecto a este tema. Puede aprovechar esta actividad para revisar los números para indicar fechas.

11. Como actividad previa a la lectura de la biografía de Frida Kahlo, puede llevar a clase fotos o diapositivas de algunos de los cuadros de esta importante pintora mexicana. Si sus alumnos están interesados en el personaje, anímelos a buscar más datos biográficos en enciclopedias e Internet y compartir con sus compañeros la información que encuentren.

12. La actividad centra la atención en los marcadores que suelen acompañar a las formas verbales de *indefinido* y *perfecto*.

Actividades alternativas

C. Anime a los alumnos a redactar por parejas o en grupo una noticia parecida a la de la actividad 6. Deben tomar como punto de partida o bien una experiencia personal, o bien un acontecimiento inventado.

D. ¡Vamos a concursar! Proponga a los alumnos que, en grupos, elaboren 10 preguntas sobre uno de los temas que usted propone: literatura, historia, deportes, espectáculos, cine, cultura, etc. Pídales que formulen preguntas utilizando sus conocimientos sobre cultura general e historia. Por ejemplo: *¿Quién escribió* El Quijote*?, ¿Qué descubrió Einstein?, ¿Qué dijo Descartes?, ¿Quién ganó la Copa del Mundo de fútbol de 1998?*, etc. Los alumnos pueden preparar las preguntas en tarjetas de diferentes colores; a cada tema le puede corresponder un color diferente. Dedique el tiempo necesario para que los grupos preparen las preguntas.

E. Los alumnos deben buscar entre sus compañeros de clase a alguien que haya realizado alguna vez una de estas acciones y anotar su nombre:
- ganar un premio,
- comer paella,
- montar a caballo,
- bañarse en la playa de noche,
- teñirse el pelo,
- volar alguna vez en globo.

Invíteles a que cada uno formule una pregunta más y ayúdeles con el vocabulario nuevo que necesiten. Por ejemplo: *¿Has salido por televisión alguna vez? Sí, dos veces / No, nunca*. Destaque el uso del *pretérito perfecto* con el marcador temporal *alguna vez*.

F. Pregunte a los alumnos: *¿Cuándo fue la última vez que...?*
- comer lentejas,
- bañarse en la playa de noche,
- viajar en barco,
- hacer una broma a alguien,
- comprarse unos zapatos,
- tener un accidente,
- escribir una carta,
- pelearse con alguien,
- conocer a alguien especial.

Los alumnos deben escoger cinco cosas de la lista y explicarlas al resto de la clase, por ejemplo: *La última vez que comí lentejas fue la semana pasada*.

G. Enseñe una foto de cualquier persona a toda la clase, mejor si es alguien con alguna característica peculiar y pregunte: *¿Qué hizo esta persona el pasado fin de semana?* Los alumnos deben decir frases en voz alta. Usted puede anotar en la pizarra las frases abreviadas, destacando las formas en *indefinido* y los marcadores temporales. Al final, seguro que consigue un relato de los hechos algo peculiar.

H. Proponga a los alumnos que escriban la biografía de alguien que conozcan o de un personaje que les interese. Toda la clase puede buscar información del mismo personaje o bien, en grupos, buscar información de personajes diferentes. Con todos los datos biográficos aportados en el aula, divida la clase en grupos para que cada uno haga un mural para colgar en clase.

I. Invite a sus alumnos a escribir fechas y frases de acontecimientos históricos de sus países como las del ejercicio 9. Si sus alumnos son de diferentes nacionalidades, la actividad resultará culturalmente muy enriquecedora.

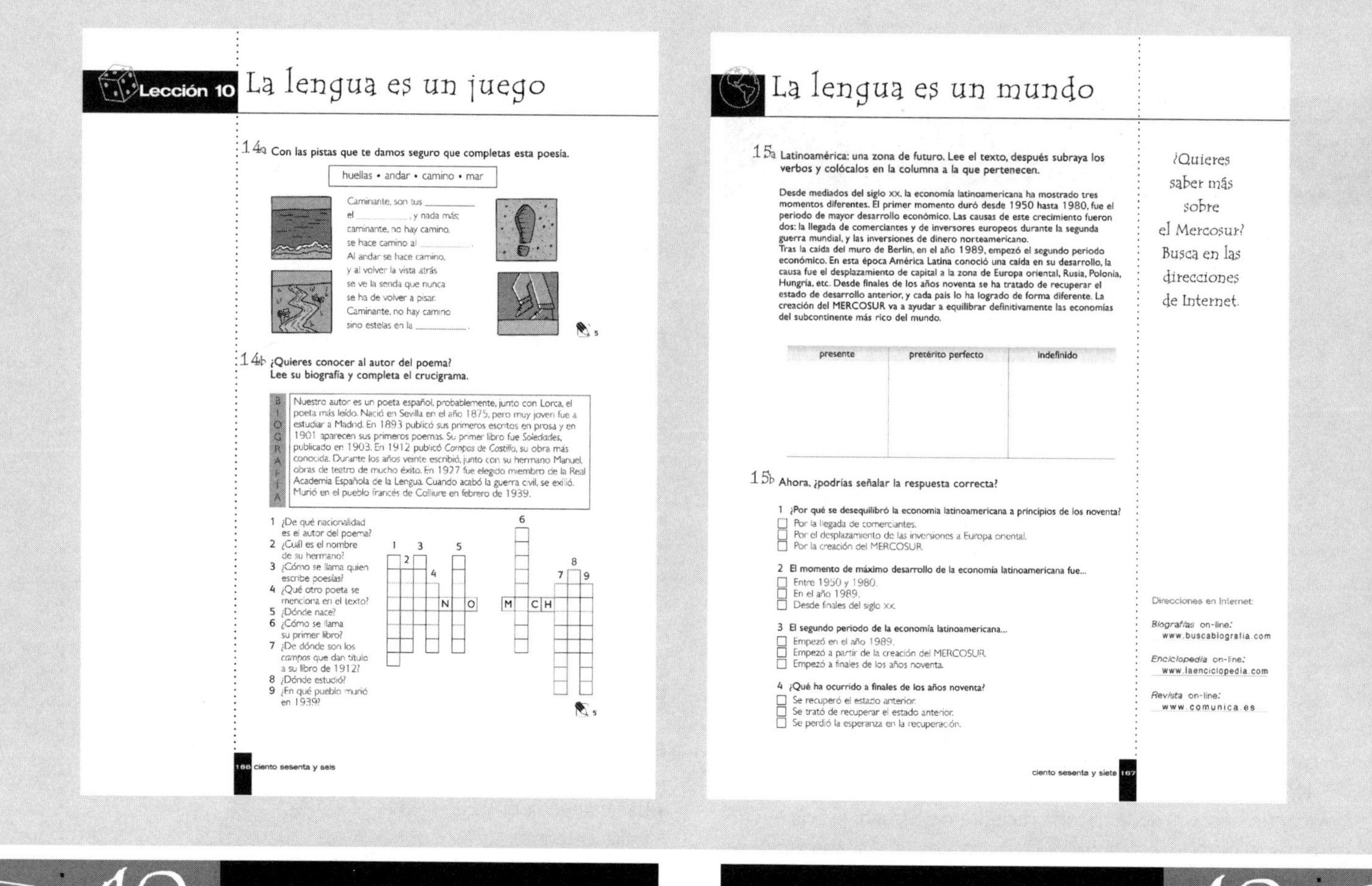

Lección 10 La lengua es un juego

14a Con las pistas que te damos seguro que completas esta poesía.

huellas • andar • camino • mar

Caminante, son tus ________
el ________, y nada más;
caminante, no hay camino,
se hace camino al ________.
Al andar se hace camino,
y al volver la vista atrás
se ve la senda que nunca
se ha de volver a pisar.
Caminante, no hay camino
sino estelas en la ________.

5

14b ¿Quieres conocer al autor del poema?
Lee su biografía y completa el crucigrama.

BIOGRAFÍA

Nuestro autor es un poeta español, probablemente, junto con Lorca, el poeta más leído. Nació en Sevilla en el año 1875, pero muy joven fue a estudiar a Madrid. En 1893 publicó sus primeros escritos en prosa y en 1901 aparecen sus primeros poemas. Su primer libro fue *Soledades*, publicado en 1903. En 1912 publicó *Campos de Castilla*, su obra más conocida. Durante los años veinte escribió, junto con su hermano Manuel, obras de teatro de mucho éxito. En 1927 fue elegido miembro de la Real Academia Española de la Lengua. Cuando acabó la guerra civil, se exilió. Murió en el pueblo francés de Colliure en febrero de 1939.

1 ¿De qué nacionalidad es el autor del poema?
2 ¿Cuál es el nombre de su hermano?
3 ¿Cómo se llama quien escribe poesías?
4 ¿Qué otro poeta se menciona en el texto?
5 ¿Dónde nace?
6 ¿Cómo se llama su primer libro?
7 ¿De dónde son los *campos* que dan título a su libro de 1912?
8 ¿Dónde estudió?
9 ¿En qué pueblo murió en 1939?

N O M C H

5

166 ciento sesenta y seis

La lengua es un mundo

15a Latinoamérica: una zona de futuro. Lee el texto, después subraya los verbos y colócalos en la columna a la que pertenecen.

Desde mediados del siglo XX, la economía latinoamericana ha mostrado tres momentos diferentes. El primer momento duró desde 1950 hasta 1980, fue el periodo de mayor desarrollo económico. Las causas de este crecimiento fueron dos: la llegada de comerciantes y de inversores europeos durante la segunda guerra mundial, y las inversiones de dinero norteamericano.
Tras la caída del muro de Berlín, en el año 1989, empezó el segundo periodo económico. En esta época América Latina conoció una caída en su desarrollo, la causa fue el desplazamiento de capital a la zona de Europa oriental, Rusia, Polonia, Hungría, etc. Desde finales de los años noventa se ha tratado de recuperar el estado de desarrollo anterior, y cada país lo ha logrado de forma diferente. La creación del MERCOSUR va a ayudar a equilibrar definitivamente las economías del subcontinente más rico del mundo.

presente	pretérito perfecto	indefinido

15b Ahora, ¿podrías señalar la respuesta correcta?

1 ¿Por qué se desequilibró la economía latinoamericana a principios de los noventa?
☐ Por la llegada de comerciantes.
☐ Por el desplazamiento de las inversiones a Europa oriental.
☐ Por la creación del MERCOSUR.

2 El momento de máximo desarrollo de la economía latinoamericana fue...
☐ Entre 1950 y 1980.
☐ En el año 1989.
☐ Desde finales del siglo XX.

3 El segundo periodo de la economía latinoamericana...
☐ Empezó en el año 1989.
☐ Empezó a partir de la creación del MERCOSUR.
☐ Empezó a finales de los años noventa.

4 ¿Qué ha ocurrido a finales de los años noventa?
☐ Se recuperó el estado anterior.
☐ Se trató de recuperar el estado anterior.
☐ Se perdió la esperanza en la recuperación.

¿Quieres saber más sobre el Mercosur? Busca en las direcciones de Internet.

Direcciones en Internet:

Biografías on-line: www.buscabiografia.com

Enciclopedia on-line: www.laenciclopedia.com

Revista on-line: www.comunica.es

ciento sesenta y siete 167

1 4. Puede comentar que se trata de un poema muy conocido. Si el poema les gusta a sus alumnos, puede proporcionarles otros de Machado igualmente breves y sencillos.

Actividades alternativas

J. Como actividad global, proponga a sus alumnos que realicen un juego parecido. Organice la clase en grupos y cada uno se encargará de buscar información de la biografía de un personaje distinto y escribirla en un texto de unas cien palabras. Posteriormente, escribirán preguntas de comprensión del texto que han escrito y, opcionalmente, las respuestas servirán para completar un crucigrama en donde puedan leer el nombre del personaje.

1 5. Comente a sus alumnos antes de leer que se trata de un texto relacionado con la economía, y anticipe algunas de las palabras relacionadas con este campo semántico: *desarrollo, crecimiento, comerciante, inversores*, etc.

Pregunte a los alumnos si en su país existe alguna organización parecida a la mencionada en el texto MERCOSUR. Si usted ve que el texto suscita interés en la clase, puede hablar a los alumnos del proceso similar que se vive en Europa, y de los motivos (económicos, culturales, políticos, etc.) por los que se ha desarrollado el proyecto de la Unión Europea.

Pregunte a sus alumnos si conocen organizaciones mundiales dedicadas a ayudar a los países más necesitados. Si es así, anímeles a que intenten explicar al resto de compañeros en qué consisten estos proyectos y a qué se dedican. En el caso de que no conozcan ninguna organización, usted deberá darles pistas sobre alguna de ellas (Cruz Roja, UNICEF, Médicos sin Fronteras, etc.).

11

lecciónonce 11

Tus experiencias y recuerdos

Lección 11 En portada

Poco a poco vamos descubriendo más datos sobre nuestros amigos.
¿Sabes cómo eran Begoña, Julián, Lola y Andrew?
¿Qué hacían?
¿Qué les gustaba?

En esta lección también vamos a conocer algo más sobre ellos.

En esta lección vas a aprender:

- A referirte a hechos y circunstancias en el pasado
- A reaccionar ante la información de un relato
- A hablar del tiempo atmosférico

1 Nuestros amigos ponen más fotos en su nuevo álbum.
Fíjate en las fotos, ¿puedes relacionarlas con las frases?

Siempre me ha gustado mucho el patinaje, cuando era más joven participé en varios campeonatos. ☐

Mi hermano y yo éramos muy aficionados a la pesca. Todos los fines de semana íbamos a pescar con mi padre. ☐

Cuando tenía tres años, iba con mis abuelos a merendar al campo. ☐

Mi abuelo me llevaba muchas veces a pasear por los campos entre los árboles. ☐

4

OBJETIVOS

Los objetivos de esta lección son:

- Proporcionar recursos básicos para referirse a hechos y circunstancias en el pasado.
- Capacitar al alumno para relacionar acontecimientos del pasado.
- Ofrecer instrumentos para reaccionar ante la información de un relato.
- Dotar al alumno de recursos para hablar del tiempo atmosférico.
- Conocer la forma del *pretérito imperfecto.*
- Familiarizar al alumno con el contraste del *pretérito imperfecto* respecto al *pretérito indefinido* y el *pretérito perfecto.*
- Ofrecer recursos básicos para ordenar el relato.
- Familiarizar al alumno con las palabras *algo / nada, alguien / nadie, alguno / ninguno.*

En esta lección se consolida el uso de los dos tiempos de pasado ya conocidos en contraste con un nuevo tiempo, el *pretérito imperfecto.* Así, se amplían los recursos para referirse no sólo a la narración de hechos, sino a expresar las circunstancias en que sucedieron.

1. Pida a sus alumnos que describan las fotos, a las personas que aparecen, qué hacen y dónde están. Invite a sus alumnos a que elaboren hipótesis sobre qué foto corresponde a Andrew, Julián, Lola y Begoña y que argumenten por qué.

Actividades alternativas

A. Puede llevar fotos de personas famosas. Pregunte a los alumnos si las conocen y anímelos a responder a alguna de las siguientes preguntas: *¿Crees que ha cambiado su vida?, ¿Cómo era su vida antes?, ¿Qué crees que hacían normalmente?, ¿Qué crees que hacían cuando eran pequeños?, ¿Qué crees que les gustaba?*, etc. Después, pídales que comparen cómo eran antes y cómo son ahora, por ejemplo: *Antes jugaba al fútbol, ahora ve el fútbol por la tele.*

B. Invite a sus alumnos a explicar al resto de la clase algún recuerdo de su infancia. Deles un tiempo para prepararse antes de explicarlo en clase.

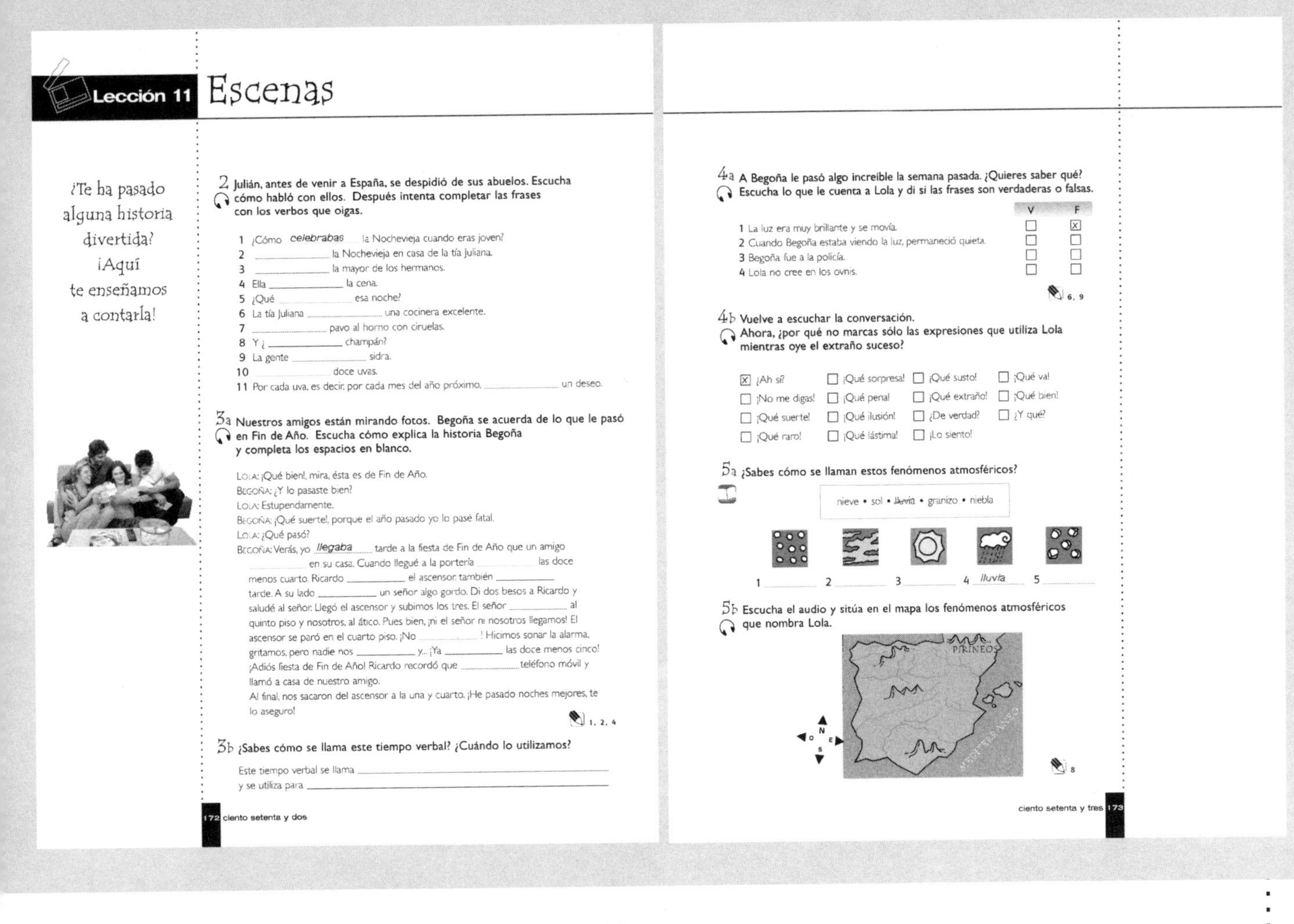

Lección 11 Escenas

¿Te ha pasado alguna historia divertida? ¡Aquí te enseñamos a contarla!

2 Julián, antes de venir a España, se despidió de sus abuelos. Escucha cómo habló con ellos. Después intenta completar las frases con los verbos que oigas.

1 ¿Cómo *celebrabas* la Nochevieja cuando eras joven?
2 ________ la Nochevieja en casa de la tía Juliana.
3 ________ la mayor de los hermanos.
4 Ella ________ la cena.
5 ¿Qué ________ esa noche?
6 La tía Juliana ________ una cocinera excelente.
7 ________ pavo al horno con ciruelas.
8 Y ¿________ champán?
9 La gente ________ sidra.
10 ________ doce uvas.
11 Por cada uva, es decir, por cada mes del año próximo, ________ un deseo.

3a Nuestros amigos están mirando fotos. Begoña se acuerda de lo que le pasó en Fin de Año. Escucha cómo explica la historia Begoña y completa los espacios en blanco.

LOLA: ¡Qué bien!, mira, ésta es de Fin de Año.
BEGOÑA: ¿Y lo pasaste bien?
LOLA: Estupendamente.
BEGOÑA: ¡Qué suerte!, porque el año pasado yo lo pasé fatal.
LOLA: ¿Qué pasó?
BEGOÑA: Verás, yo *llegaba* tarde a la fiesta de Fin de Año que un amigo ________ en su casa. Cuando llegué a la portería ________ las doce menos cuarto. Ricardo ________ el ascensor, también ________ tarde. A su lado ________ un señor algo gordo. Di dos besos a Ricardo y saludé al señor. Llegó el ascensor y subimos los tres. El señor ________ al quinto piso y nosotros, al ático. Pues bien, ¡ni el señor ni nosotros llegamos! El ascensor se paró en el cuarto piso. ¡No ________! Hicimos sonar la alarma, gritamos, pero nadie nos ________ y... ¡Ya ________ las doce menos cinco! ¡Adiós fiesta de Fin de Año! Ricardo recordó que ________ teléfono móvil y llamó a casa de nuestro amigo.
Al final, nos sacaron del ascensor a la una y cuarto. ¡He pasado noches mejores, te lo aseguro!

1, 2, 4

3b ¿Sabes cómo se llama este tiempo verbal? ¿Cuándo lo utilizamos?

Este tiempo verbal se llama ________
y se utiliza para ________

172 ciento setenta y dos

4a A Begoña le pasó algo increíble la semana pasada. ¿Quieres saber qué? Escucha lo que le cuenta a Lola y di si las frases son verdaderas o falsas.

	V	F
1 La luz era muy brillante y se movía.	☐	☒
2 Cuando Begoña estaba viendo la luz, permaneció quieta.	☐	☐
3 Begoña fue a la policía.	☐	☐
4 Lola no cree en los ovnis.	☐	☐

6, 9

4b Vuelve a escuchar la conversación.
Ahora, ¿por qué no marcas sólo las expresiones que utiliza Lola mientras oye el extraño suceso?

☒ ¿Ah sí? ☐ ¡Qué sorpresa! ☐ ¡Qué susto! ☐ ¡Qué va!
☐ ¡No me digas! ☐ ¡Qué pena! ☐ ¡Qué extraño! ☐ ¡Qué bien!
☐ ¡Qué suerte! ☐ ¡Qué ilusión! ☐ ¿De verdad? ☐ ¿Y qué?
☐ ¡Qué raro! ☐ ¡Qué lástima! ☐ ¡Lo siento!

5a ¿Sabes cómo se llaman estos fenómenos atmosféricos?

nieve • sol • ~~lluvia~~ • granizo • niebla

1 ________ 2 ________ 3 ________ 4 *lluvia* 5 ________

5b Escucha el audio y sitúa en el mapa los fenómenos atmosféricos que nombra Lola.

PIRINEOS
N O E S

8

ciento setenta y tres 173

2. Después del ejercicio, destaque con la transcripción del diálogo el uso del tiempo *imperfecto* referido a acciones habituales en el pasado, ya que el diálogo refiere a la forma habitual de celebrar todos los años la Nochevieja. Diferencie ese uso del *imperfecto* del de describir las circunstancias de hechos concretos, que también aparece en el diálogo.

3. En esta actividad vuelve a aparecer el *imperfecto* aunque en este caso su uso es el de referirse a circunstancias de acciones en el pasado. Pregunte a los alumnos si alguna vez se han quedado atrapados en un ascensor. En caso afirmativo, anímeles y ayúdeles a explicarlo al resto de la clase.

4. Subraye la importancia pragmática del uso de estas expresiones en la comunicación, ya que manifiestan interés del que escucha y animan a continuar al que narra. Después del ejercicio, destaque la información para narrar los acontecimientos con la forma de *indefinido* y las circunstancias o situación de estas acciones con *imperfecto*.

5. Para iniciar la actividad, puede solicitar a sus alumnos que digan el vocabulario que ya conocen para referirse al tiempo atmosférico. Note que el léxico empleado en las previsiones meteorológicas en los medios de comunicación es bastante diferente al usado coloquialmente para referirse al tiempo atmosférico.

Actividades alternativas

C. Explote culturalmente la información de la celebración de Nochevieja en un país hispano del ejercicio 2 y contrástela con las celebraciones en el país de los alumnos. Anime a los alumnos a que expliquen qué hicieron el pasado fin de año: dónde fueron, con quién, qué les pasó, cómo lo pasaron, etc.

D. Propóngales que intenten recordar estas situaciones:
- *Su primer día en la escuela*: el nombre de su profesor, sus compañeros, cómo era la clase, etc.
- *La última vez que compraron ropa*: qué se compraron, dónde la compraron, cuánto les costó, para quién era, etc.;
- *Qué hicieron ayer*: qué comieron al mediodía: a qué hora se levantaron, qué tiempo hizo, dónde estuvieron, etc.;
- *La última vez que comieron en un restaurante*: dónde, con quién, cuánto costó, qué comió, cómo estaba la comida, etc.

Nuestros amigos nos cuentan historias del pasado. No es tan difícil ¿verdad? Había una vez...

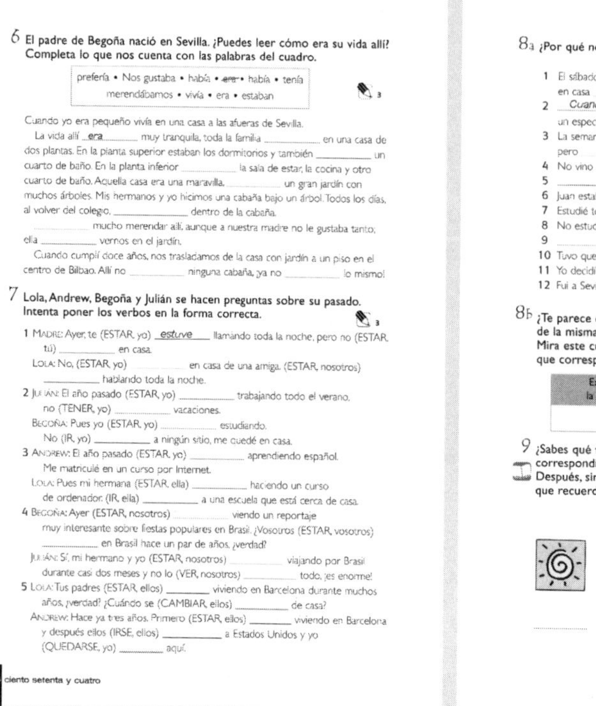

6 **El padre de Begoña nació en Sevilla. ¿Puedes leer cómo era su vida allí? Completa lo que nos cuenta con las palabras del cuadro.**

prefería • Nos gustaba • había • ~~era~~ • había • tenía
merendábamos • vivía • era • estaban

3

Cuando yo era pequeño vivía en una casa a las afueras de Sevilla.

La vida allí *era* muy tranquila, toda la familia ______ en una casa de dos plantas. En la planta superior estaban los dormitorios y también ______ un cuarto de baño. En la planta inferior ______ la sala de estar, la cocina y otro cuarto de baño. Aquella casa era una maravilla. ______ un gran jardín con muchos árboles. Mis hermanos y yo hicimos una cabaña bajo un árbol. Todos los días, al volver del colegio, ______ dentro de la cabaña.

______ mucho merendar allí, aunque a nuestra madre no le gustaba tanto; ella ______ vernos en el jardín.

Cuando cumplí doce años, nos trasladamos de la casa con jardín a un piso en el centro de Bilbao. Allí no ______ ninguna cabaña, ¡ya no ______ lo mismo!

7 **Lola, Andrew, Begoña y Julián se hacen preguntas sobre su pasado. Intenta poner los verbos en la forma correcta.**

3

1 MADRE: Ayer, te (ESTAR, yo) *estuve* llamando toda la noche, pero no (ESTAR, tú) ______ en casa.
LOLA: No, (ESTAR, yo) ______ en casa de una amiga. (ESTAR, nosotros) ______ hablando toda la noche.
2 JULIÁN: El año pasado (ESTAR, yo) ______ trabajando todo el verano, no (TENER, yo) ______ vacaciones.
BEGOÑA: Pues yo (ESTAR, yo) ______ estudiando. No (IR, yo) ______ a ningún sitio, me quedé en casa.
3 ANDREW: El año pasado (ESTAR, yo) ______ aprendiendo español. Me matriculé en un curso por Internet.
LOLA: Pues mi hermana (ESTAR, ella) ______ haciendo un curso de ordenador. (IR, ella) ______ a una escuela que está cerca de casa.
4 BEGOÑA: Ayer (ESTAR, nosotros) ______ viendo un reportaje muy interesante sobre fiestas populares en Brasil. ¿Vosotros (ESTAR, vosotros) ______ en Brasil hace un par de años, ¿verdad?
JULIÁN: Sí, mi hermano y yo (ESTAR, nosotros) ______ viajando por Brasil durante casi dos meses y no lo (VER, nosotros) ______ todo, ¡es enorme!
5 LOLA: Tus padres (ESTAR, ellos) ______ viviendo en Barcelona durante muchos años, ¿verdad? ¿Cuándo se (CAMBIAR, ellos) ______ de casa?
ANDREW: Hace ya tres años. Primero (ESTAR, ellos) ______ viviendo en Barcelona y después ellos (IRSE, ellos) ______ a Estados Unidos y yo (QUEDARSE, yo) ______ aquí.

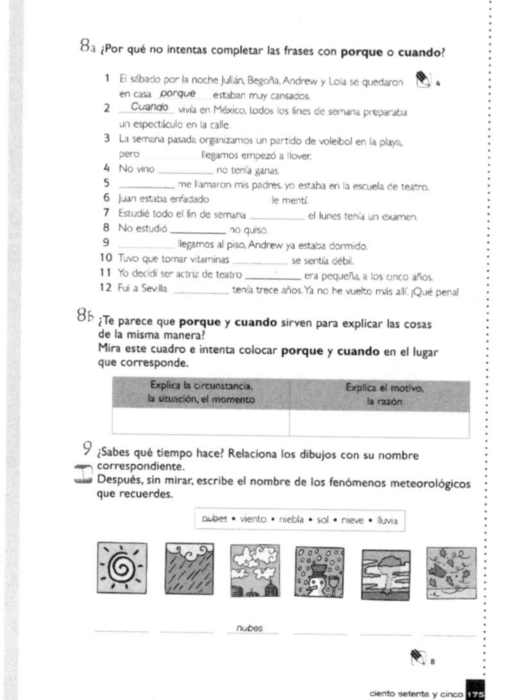

8a **¿Por qué no intentas completar las frases con porque o cuando?**

4

1 El sábado por la noche Julián, Begoña, Andrew y Lola se quedaron en casa *porque* estaban muy cansados.
2 *Cuando* vivía en México, todos los fines de semana preparaba un espectáculo en la calle.
3 La semana pasada organizamos un partido de voleibol en la playa, pero ______ llegamos empezó a llover.
4 No vino ______ no tenía ganas.
5 ______ me llamaron mis padres, yo estaba en la escuela de teatro.
6 Juan estaba enfadado ______ le mentí.
7 Estudié todo el fin de semana ______ el lunes tenía un examen.
8 No estudió ______ no quiso.
9 ______ llegamos al piso, Andrew ya estaba dormido.
10 Tuvo que tomar vitaminas ______ se sentía débil.
11 Yo decidí ser actriz de teatro ______ era pequeña, a los cinco años.
12 Fui a Sevilla ______ tenía trece años. Ya no he vuelto más allí. ¡Qué pena!

8b **¿Te parece que porque y cuando sirven para explicar las cosas de la misma manera? Mira este cuadro e intenta colocar porque y cuando en el lugar que corresponde.**

Explica la circunstancia, la situación, el momento	Explica el motivo, la razón

9 **¿Sabes qué tiempo hace? Relaciona los dibujos con su nombre correspondiente. Después, sin mirar, escribe el nombre de los fenómenos meteorológicos que recuerdes.**

~~nubes~~ • viento • niebla • sol • nieve • lluvia

______ ______ *nubes* ______ ______ ______

8

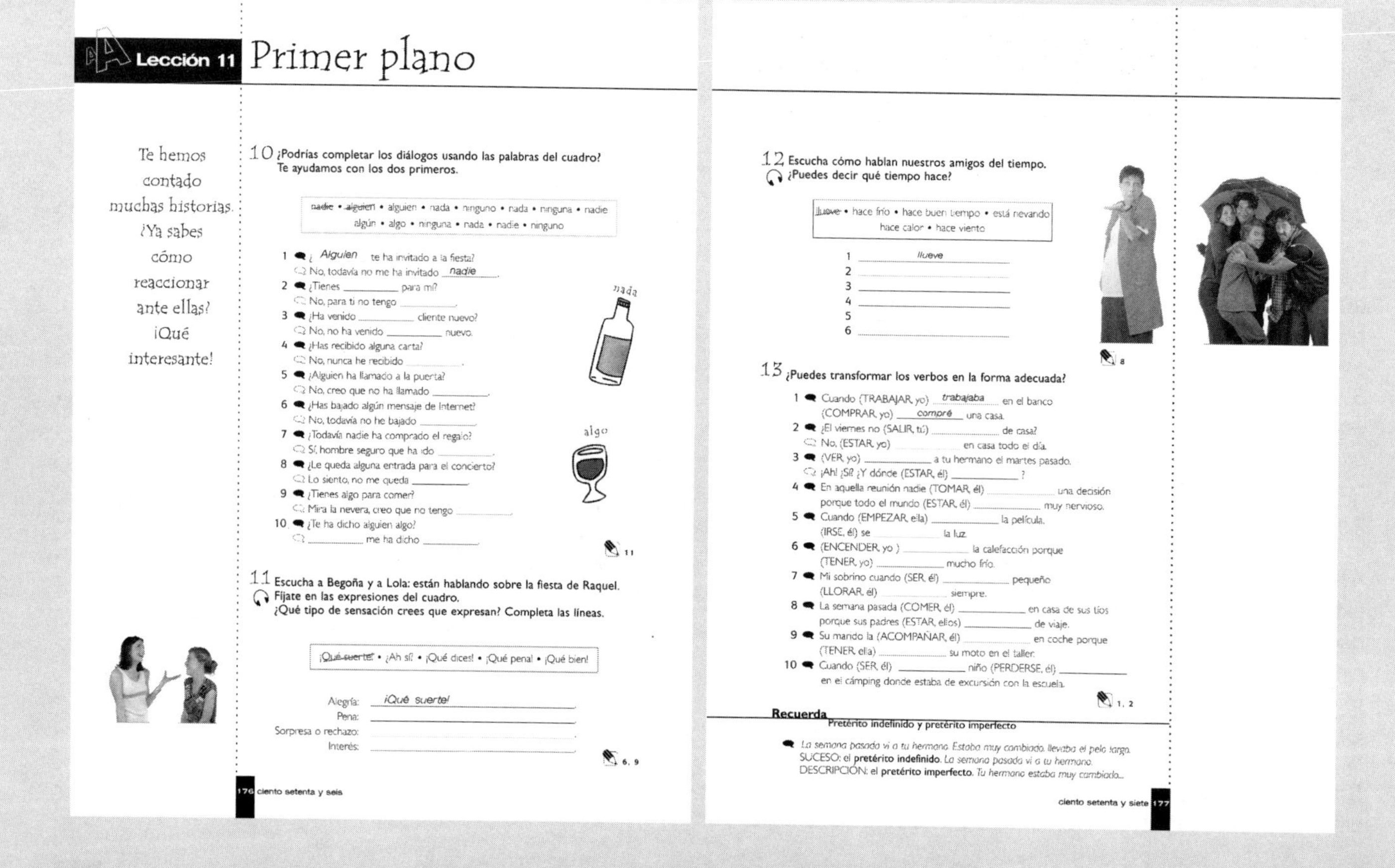

Te hemos contado muchas historias. ¿Ya sabes cómo reaccionar ante ellas? ¡Qué interesante!

10 **¿Podrías completar los diálogos usando las palabras del cuadro? Te ayudamos con los dos primeros.**

~~nadie~~ • ~~alguien~~ • alguien • nada • ninguno • nada • ninguna • nadie
algún • algo • ninguna • nada • nadie • ninguno

1 ¿ *Alguien* te ha invitado a la fiesta?
No, todavía no me ha invitado *nadie*.
2 ¿Tienes ______ para mí?
No, para ti no tengo ______.
3 ¿Ha venido ______ cliente nuevo?
No, no ha venido ______ nuevo.
4 ¿Has recibido alguna carta?
No, nunca he recibido ______.
5 ¿Alguien ha llamado a la puerta?
No, creo que no ha llamado ______.
6 ¿Has bajado algún mensaje de Internet?
No, todavía no he bajado ______.
7 ¿Todavía nadie ha comprado el regalo?
Sí, hombre seguro que ha ido ______.
8 ¿Le queda alguna entrada para el concierto?
Lo siento, no me queda ______.
9 ¿Tienes algo para comer?
Mira la nevera, creo que no tengo ______.
10 ¿Te ha dicho alguien algo?
______ me ha dicho ______.

11

11 **Escucha a Begoña y a Lola: están hablando sobre la fiesta de Raquel. Fíjate en las expresiones del cuadro. ¿Qué tipo de sensación crees que expresan? Completa las líneas.**

~~¡Qué suerte!~~ • ¿Ah sí? • ¡Qué dices! • ¡Qué pena! • ¡Qué bien!

Alegría: *¡Qué suerte!*
Pena: ______
Sorpresa o rechazo: ______
Interés: ______

6, 9

12 **Escucha cómo hablan nuestros amigos del tiempo. ¿Puedes decir qué tiempo hace?**

~~llueve~~ • hace frío • hace buen tiempo • está nevando
hace calor • hace viento

1 *llueve*
2 ______
3 ______
4 ______
5 ______
6 ______

8

13 **¿Puedes transformar los verbos en la forma adecuada?**

1 Cuando (TRABAJAR, yo) *trabajaba* en el banco (COMPRAR, yo) *compré* una casa.
2 ¿El viernes no (SALIR, tú) ______ de casa?
No, (ESTAR, yo) ______ en casa todo el día.
3 (VER, yo) ______ a tu hermano el martes pasado.
¡Ah! ¿Sí? ¿Y dónde (ESTAR, él) ______ ?
4 En aquella reunión nadie (TOMAR, él) ______ una decisión porque todo el mundo (ESTAR, él) ______ muy nervioso.
5 Cuando (EMPEZAR, ella) ______ la película, (IRSE, él) se ______ la luz.
6 (ENCENDER, yo) ______ la calefacción porque (TENER, yo) ______ mucho frío.
7 Mi sobrino cuando (SER, él) ______ pequeño (LLORAR, él) ______ siempre.
8 La semana pasada (COMER, él) ______ en casa de sus tíos porque sus padres (ESTAR, ellos) ______ de viaje.
9 Su marido la (ACOMPAÑAR, él) ______ en coche porque (TENER, ella) ______ su moto en el taller.
10 Cuando (SER, él) ______ niño (PERDERSE, él) ______ en el cámping donde estaba de excursión con la escuela.

1, 2

Recuerda

Pretérito indefinido y pretérito imperfecto

La semana pasada vi a tu hermano. Estaba muy cambiado, llevaba el pelo largo.
SUCESO: el **pretérito indefinido**. *La semana pasada vi a tu hermano.*
DESCRIPCIÓN: el **pretérito imperfecto**. *Tu hermano estaba muy cambiado...*

8. Destaque el uso de *porque* y *cuando* en oraciones compuestas con una forma verbal en *imperfecto* y otra en *indefinido*.

10. Como presentación de la actividad, pregunte a un alumno: *¿Hay **alguien** en el lavabo?* Elija a un alumno para que conteste, p. ej.: *No hay **nadie** / Está Carlos*. Diríjase a otro alumno y pregúntele *¿Tienes **alguna** pregunta?*, y ayúdele a responder, por ejemplo: *No tengo **ninguna***. Enseñe una bolsa vacía y pregunte *¿Hay **algo** dentro?*, y ayúdele a responder *No hay **nada***.

Actividades alternativas

E. Explique usted alguna anécdota y pida a sus alumnos una reacción de alegría, pena, sorpresa o interés.

F. Proponga a los alumnos que redacten algún suceso. Una vez realizado el ejercicio, recoja todos los escritos y vuelva a repartirlos intentando que cada alumno reciba el de un compañero. El paso siguiente es que cada uno corrija el texto que le ha tocado para devolvérselo después a su dueño.

Puede ampliar la actividad sugiriendo al "corrector" que cree frases con el texto de su compañero, utilizando *cuando, porque*. Una vez creadas, las deberán leer al resto de la clase para que sepan de qué trata la redacción y el dueño la pueda identificar como suya.

G. Pregunte a un alumno qué país ha sido el último que ha visitado. Después los compañeros le formularán preguntas sobre su experiencia en el país, qué vio, cuándo estuvo, etc. De este modo los alumnos intercambian experiencias personales.

Sugiera a los alumnos que escriban una postal que vaya dirigida a algún compañero de clase para explicarle qué hizo en las últimas vacaciones. En caso de que no recuerden ningún viaje, pueden explicar en pasado uno que les gustaría hacer. En la postal no debe aparecer el nombre del autor. Después recoja todas las postales y mézclelas. Repártalas entre los alumnos, vigilando que a nadie le vuelva a tocar la propia. Después anime a los alumnos a que descubran al autor de la postal mediante la formulación de preguntas a todos sus compañeros.

H. Pregunte a los alumnos *¿Cuándo fue la primera vez que...?* hicieron estas actividades:
- subir en un avión;
- cortarse el pelo;
- escribir una carta;
- estar en un hospital;
- beber cerveza;
- ir a un concierto musical;
- entrar en un museo;
- leer una novela.

Procure que añadan circunstancias y descripciones usando el *pretérito imperfecto*. Por ejemplo: *Hacía frío; Tenía X años; Estaba con X*; o *Había X personas*. Destaque el recurso de hablar del clima como una circunstancia de una narración.

I. Invite a los alumnos a realizar microdiálogos de algún suceso extraño, divertido o increíble en los que aparezcan los verbos en pasado, así como expresiones de sorpresa y de sentimiento del tipo que aparece en la actividad. Cuando hayan ensayado varias veces entre ellos, seleccione un par o tres de parejas (las más divertidas) para representarlo.

J. Distribuya a sus alumnos en pequeños grupos y haga que comenten qué hicieron ayer. Los compañeros pueden preguntar al que habla si: (1) vio a **alguien**; (2) vio **algo** interesante; (3) estuvo con **alguno** de sus amigos. En caso de que no hayan hecho nada destacable o prefieran no hablar de su vida privada, pueden inventar la información.

Es conveniente que previamente destaque en la pizarra las posibles respuestas negativas a *alguien* > ***nadie***; *algo* > ***nada***; *alguno* > ***ninguno*** antes de practicar el diálogo. Aconséjeles que es conveniente que se corrijan entre ellos si lo creen oportuno.

K. Haga que los alumnos trabajen en cadena, es decir, uno de ellos empezará una frase y el otro la acabará, expresando una acción simultánea a la primera. Por ejemplo, un alumno dice primero: *Cuando mi madre estaba trabajando,* y otro puede terminar la frase, por ejemplo, así: *Yo estaba en clase de español*.

L. Mire por la ventana de la clase y pregunte a sus alumnos: *¿Qué tiempo hace hoy?; ¿Qué tiempo hizo ayer?*

M. Solicite un voluntario para que escenifique y haga mímica de diversos fenómenos meteorológicos sin decir ninguna palabra: *lluvia, sol, nubes, viento, niebla, día caluroso, día frío* y *niebla*. El resto de la clase deberá adivinar y decir correctamente el nombre del fenómeno.

N. Comente con sus alumnos en qué hemisferio les gustaría vivir, en qué mes y estación, y por qué. Comente también qué tipo de clima les gusta más, por qué, si hay algún fenómeno meteorológico que les guste o no les guste especialmente, etc.

Lección 11 La lengua es un juego

14 ¡A jugar!
Tienes una botella de 3 litros y una de 5 litros vacías.
¿Cómo puedes hacer para tener 2 litros exactos en la botella de 3 litros? Puedes ir al grifo una sola vez.
Escribe cómo lo haces utilizando las expresiones siguientes:

Primero ....
Después ....
Luego ....
Al final ....

Busca en el diccionario estos verbos: **llenar**, **vaciar** y **poner**.

15 Si quieres llegar hasta el paraguas debes pasar este charco de letras.
Para avanzar, dinos un verbo que empiece por las letras que pisas.

3

180 ciento ochenta

La lengua es un mundo

16 Vamos a contarte algo sobre el clima en los países de habla hispana.

El calor y el frío
En Hispanoamérica, desde México hasta Tierra de Fuego, en Argentina, hay muchos climas. Menos en el cono sur (Uruguay, Chile y Argentina), el clima es tropical, sólo hay dos estaciones, la lluviosa y la seca, y hace mucho calor todo el año. En las zonas montañosas la humedad y las temperaturas son más bajas. En algunos picos de los Andes hay nieve todo el año. En Uruguay, Chile y Argentina, por estar en la zona templada, hay cuatro estaciones. Pero, por su situación en el hemisferio sur, los meses de verano corresponden a los de invierno en España, y los de la primavera a los de otoño. En España conocemos las cuatro estaciones, el invierno es frío y seco, sobre todo en el interior, y el verano, caluroso y húmedo en la zona de la costa mediterránea.

Dinos si son verdaderas (V) o falsas (F).

		V	F
1	En México sólo conocen dos estaciones: la lluviosa y la seca.	☒	☐
2	En Chile hay dos estaciones.	☐	☐
3	En el cono sur (Uruguay, Chile y Argentina) el clima es tropical.	☐	☐
4	En la zona interior de España los inviernos son fríos y secos.	☐	☐

8

17 ¡Vaya noticia! Después de leerla ayúdanos a completarla.

Una mujer encuentra una serpiente en el patio de su casa.
☐ El reptil, una pitón de tres metros y medio y 30 kilos de peso, estaba sobre la lavadora de la vecina. ☐ Al parecer, el animal cayó al patio de los bajos del edificio desde el ático. La mujer cerró la puerta para evitar que el animal entrara en el piso y llamó a la policía. ☐ Los agentes introdujeron a la serpiente en un carro de la compra con ayuda de una escoba. ☐ El propietario pudo recuperarla después de presentar la documentación que acredita su adquisición legal.

Algunas frases de la noticia se han perdido, ¿puedes decirnos dónde van colocadas?

a A continuación llevaron a la serpiente a la comisaría.
b La policía tardó en llegar una hora.
c Cuando la vio, la confundió con la rama de un árbol.
d Una mujer encontró una serpiente dentro de su piso.

1, 2, 5, 10

¿Te gusta el frío o el calor? ¿Qué estación del año es tu favorita? ¡Cuéntanoslo!

Direcciones en Internet:

Sitio de arte e historia: www.artehistoria.com

Portal de arte: www.hispanart.com

Diario on-line: www.el-pais.es

ciento ochenta y uno 181

11 La lengua es un juego

14. Juego de lógica e ingenio en el que ya se proporcionan los conectores para ordenar el relato.

15. Organice la clase para jugar en grupos de cuatro alumnos, a su vez organizados en dos parejas. Entregue una ficha por pareja. Los movimientos de un charco a otro pueden hacerse de uno en uno en cualquier dirección, o bien con un dado, saltando tantos charcos como puntos aparezcan.

Puede introducir las reglas que quiera para que el juego le dé mejor resultado, como jugar cuatro jugadores individualmente, es decir, con cuatro fichas; o permitir que si una ficha cae en un charco ya ocupado, envíe al jugador que la ocupaba a la casilla inicial; o escribir las palabras que dicen para prohibir las repeticiones, etc.

La lengua es un mundo 11

16. Aproveche esta actividad para que los alumnos expresen su opinión sobre la diversidad climática y también sobre sus preferencias. Quizá necesiten vocabulario que no ha aparecido hasta el momento: en ese caso, ofrézcase para traducir o explicar su significado.

17. Explique que el texto procede de una noticia aparecida en un diario de España. Para ayudar a la comprensión de la noticia, pida a sus alumnos que organicen cronológicamente los hechos, indicando lo que sucedió *primero, después, luego, a continuación* y *al final*.

Actividades alternativas

Ñ. Pida a sus alumnos que comenten entre ellos qué tiempo hace en su país en una época concreta del año, o bien a lo largo de todo el año. Proporcione el léxico adicional que soliciten sus alumnos. Si está enseñando en un país diferente del que son originarios los alumnos, anímelos a comparar el tiempo que hace en ambos países. Si en su clase se encuentran alumnos de distintas nacionalidades, invite a los alumnos a comparar los climas de sus países, refiriéndose a las distintas estaciones del año. Posteriormente, de forma opcional, pueden escribir un texto, parecido al del ejercicio 16, explicando el clima en su país.

12

lección doce 12

Julián se va de vacaciones

Lección 12 En portada

Hay muchas maneras de decir las cosas. Cuando te reúnas con tus nuevos amigos vas a saber utilizar las expresiones adecuadas. No importa dónde vayas, siempre serás bienvenido.

Julián se va de vacaciones

184 ciento ochenta y cuatro

En esta lección vas a aprender:

- A hablar de planes de futuro
- A concertar citas
- Formas de comunicarte por teléfono

1a Fíjate bien en la foto y escoge la respuesta correcta.

1 **¿Quién se va de viaje?**
- ☐ Julián.
- ☐ Lola.
- ☐ Andrew.

2 **¿Cómo lo sabes?**
- ☐ Porque está con sus amigos.
- ☐ Porque tiene sueño.
- ☐ Porque lleva una maleta.

3 **Julián, ¿está contento?**
- ☐ Sí, está contentísimo.
- ☐ No, está un poco triste.
- ☐ No, está enfadado.

4 **¿Dónde se despiden de Julián?**
- ☐ En el aeropuerto.
- ☐ En la estación de tren.
- ☐ En la puerta del piso.

5 **¿Cómo se despide Begoña de Julián?**
- ☐ Le da dos besos.
- ☐ Le da un abrazo.
- ☐ Le dice adiós con la mano.

6 **¿Quién no se despide de Julián?**
- ☐ Andrew, Lázaro y Antonio.
- ☐ Begoña, Lola y Ana.
- ☐ Antonio, Ana y Lázaro.

1b Los objetos del cuadro son muy útiles para viajar. ¿Puedes relacionarlos con su definición?

maleta • equipaje • guía de viaje • billete • pasaporte • ~~cepillo de dientes~~

1 *Cepillo de dientes* : Utensilio para la higiene de la boca, imprescindible para viajar.
2 .... : Conjunto de maleta y cosas que se pueden llevar en los viajes.
3 .... : Documento necesario para viajar a algunos países.
4 .... : Caja con un asa que sirve para transportar ropa.
5 .... : Tarjeta que permite ocupar el asiento de un medio de transporte.
6 .... : Libro con información de un lugar.

ciento ochenta y cinco 185

OBJETIVOS

Los objetivos de esta lección son:

- Conocer léxico básico para referirse a viajes y servicios, medios de transporte y accidentes geográficos.
- Dotar al alumno de recursos básicos para referirse a planes y proyectos.
- Proporcionar recursos básicos para concertar citas.
- Capacitar al alumno para la comunicación por teléfono.
- Ofrecer instrumentos para sugerir actividades y reaccionar ante sugerencias.
- Familiarizar al alumno con marcadores temporales de futuro.
- Conocer algunos verbos con preposiciones y frases de relativo con *donde*, *que*.

En esta lección, las formas para referirse al futuro son las perífrasis *ir a + infinitivo*, *querer + infinitivo*, *pensar + infinitivo* y el *presente de indicativo* con valor de futuro. La forma verbal del *futuro de indicativo* aparece en el nivel intermedio.

Es muy natural la integración de la función *concertar citas* y *referirse a planes futuros* con la comunicación por teléfono.

En portada 12

1. En esta primera actividad se presenta uno de los temas de la lección, los viajes. Pida a sus alumnos que describan la foto de la despedida de Julián, donde aparece con una maleta en la mano en la puerta de casa. Destaque el gesto de Begoña con la mano para despedirse. Aproveche para revisar las formas lingüísticas que los alumnos han visto hasta ahora con preguntas como: *¿qué hacen los chicos?, ¿cómo van vestidos?, ¿qué sienten?, ¿qué piensan?,* etc.

También puede pedir a sus alumnos que formulen hipótesis sobre dónde creen que va Julián, con quién, cuánto tiempo estará fuera, qué va a hacer donde va, etc.

Actividades alternativas

A. Pregunte a los alumnos si tienen intención de viajar a algún país hispanohablante. En caso afirmativo, comente con ellos por qué motivos, en qué época del año, con quién, etc.

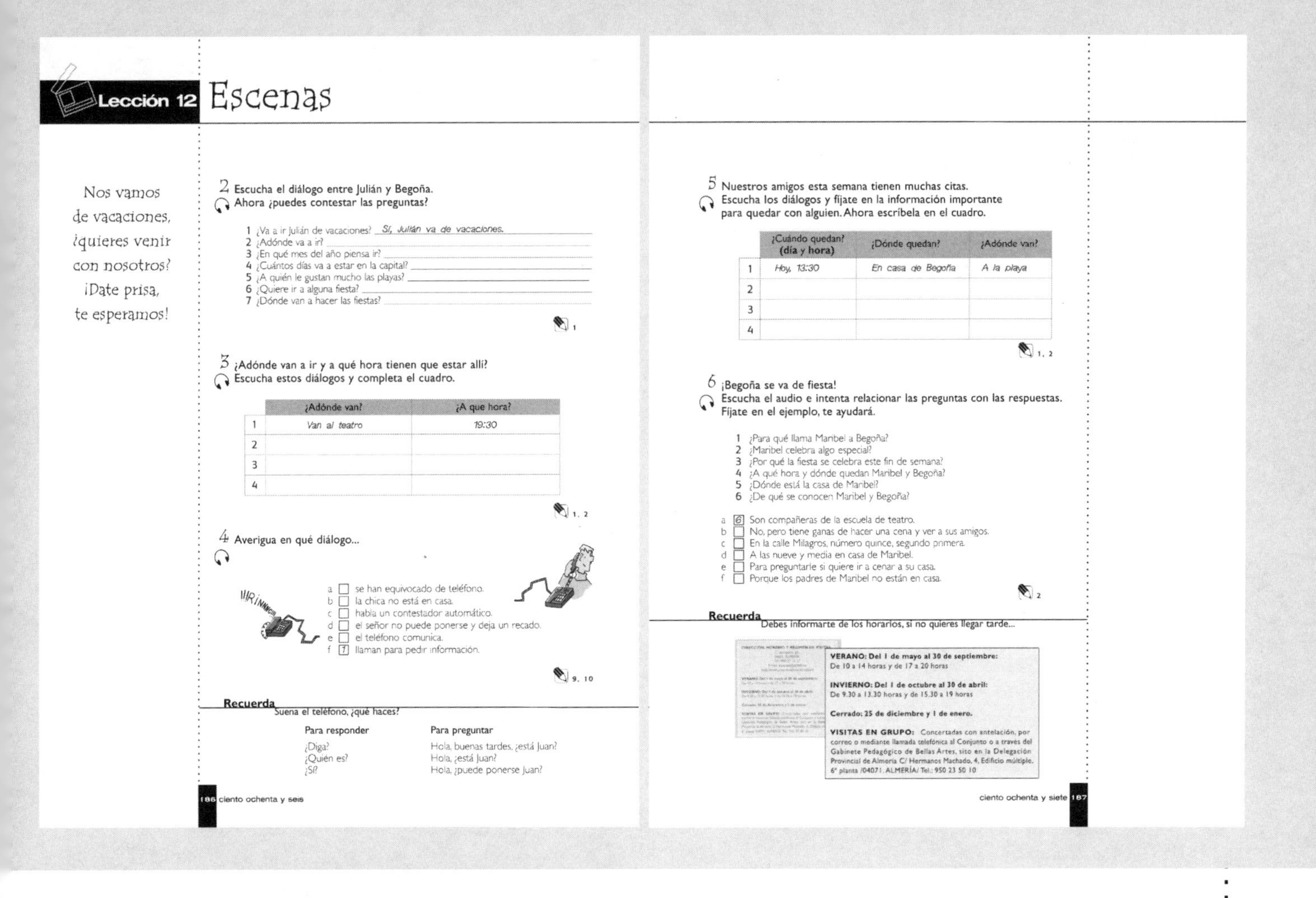

Lección 12 Escenas

Nos vamos
de vacaciones,
¿quieres venir
con nosotros?
¡Date prisa,
te esperamos!

2 Escucha el diálogo entre Julián y Begoña.
Ahora ¿puedes contestar las preguntas?

1 ¿Va a ir Julián de vacaciones? *Sí, Julián va de vacaciones.*
2 ¿Adónde va a ir? ____
3 ¿En qué mes del año piensa ir? ____
4 ¿Cuántos días va a estar en la capital? ____
5 ¿A quién le gustan mucho las playas? ____
6 ¿Quiere ir a alguna fiesta? ____
7 ¿Dónde van a hacer las fiestas? ____

1

3 ¿Adónde van a ir y a qué hora tienen que estar allí?
Escucha estos diálogos y completa el cuadro.

	¿Adónde van?	¿A que hora?
1	*Van al teatro*	*19:30*
2		
3		
4		

1, 2

4 Averigua en qué diálogo...

a ☐ se han equivocado de teléfono.
b ☐ la chica no está en casa.
c ☐ había un contestador automático.
d ☐ el señor no puede ponerse y deja un recado.
e ☐ el teléfono comunica.
f [1] llaman para pedir información.

9, 10

Recuerda
Suena el teléfono, ¿qué haces?

Para responder	Para preguntar
¿Diga?	Hola, buenas tardes, ¿está Juan?
¿Quién es?	Hola, ¿está Juan?
¿Sí?	Hola, ¿puede ponerse Juan?

186 ciento ochenta y seis

5 Nuestros amigos esta semana tienen muchas citas.
Escucha los diálogos y fíjate en la información importante para quedar con alguien. Ahora escríbela en el cuadro.

	¿Cuándo quedan? (día y hora)	¿Dónde quedan?	¿Adónde van?
1	*Hoy, 13:30*	*En casa de Begoña*	*A la playa*
2			
3			
4			

1, 2

6 ¡Begoña se va de fiesta!
Escucha el audio e intenta relacionar las preguntas con las respuestas. Fíjate en el ejemplo, te ayudará.

1 ¿Para qué llama Maribel a Begoña?
2 ¿Maribel celebra algo especial?
3 ¿Por qué la fiesta se celebra este fin de semana?
4 ¿A qué hora y dónde quedan Maribel y Begoña?
5 ¿Dónde está la casa de Maribel?
6 ¿De qué se conocen Maribel y Begoña?

a [6] Son compañeras de la escuela de teatro.
b ☐ No, pero tiene ganas de hacer una cena y ver a sus amigos.
c ☐ En la calle Milagros, número quince, segundo primera.
d ☐ A las nueve y media en casa de Maribel.
e ☐ Para preguntarle si quiere ir a cenar a su casa.
f ☐ Porque los padres de Maribel no están en casa.

2

Recuerda
Debes informarte de los horarios, si no quieres llegar tarde...

VERANO: Del 1 de mayo al 30 de septiembre:
De 10 a 14 horas y de 17 a 20 horas

INVIERNO: Del 1 de octubre al 30 de abril:
De 9.30 a 13.30 horas y de 15.30 a 19 horas

Cerrado: 25 de diciembre y 1 de enero.

VISITAS EN GRUPO: Concertadas con antelación, por correo o mediante llamada telefónica al Conjunto o a través del Gabinete Pedagógico de Bellas Artes, sito en la Delegación Provincial de Almería C/ Hermanos Machado, 4, Edificio múltiple, 6ª planta /04071, ALMERÍA/ Tel.: 950 23 50 10

ciento ochenta y siete 187

12 Escenas

2. Pregunte a los alumnos si han estado alguna vez en México, o si conocen algo de ese país. Puede proporcionar a los alumnos un mapa de México en el que ellos puedan localizar las ciudades mencionadas en la conversación, así como fotos que ilustren los monumentos y los lugares de los que habla Lola.

3. Puede destacar que en los cuatro diálogos aparecen referencias al futuro.

4. Para hacer correctamente la actividad, es necesario que los alumnos comprendan las voces y las palabras clave de los seis diálogos, así como las frases del ejercicio que sintetizan cada situación. Preséntelas previamente, o bien, si cree que resultará un ejercicio difícil, aconseje a sus alumnos que lean la transcripción.

5. Aclare previamente a la audición el concepto de *concertar una cita* y *quedar*. Indique que para quedar es necesario acordar un lugar, una fecha y hora.

Actividades alternativas

B. Elabore tarjetas para repartir entre los alumnos. En algunas aparecerá una frase con una invitación y, en las otras, frases con un argumento para rechazar la petición, o la aceptación del ofrecimiento. Reparta las tarjetas y haga que los alumnos circulen libremente por el aula preguntando y respondiendo hasta encontrar parejas.

C. Pida a sus alumnos que se preparen para llamar por teléfono a un amigo para proponerle una actividad, como ir a la biblioteca, ir a tomar un refresco o ir a comprar.

Escriba números de teléfono por duplicado en tarjetas, de forma que en cada una aparezca sólo un número. Reparta al azar las tarjetas para que todos los alumnos tengan una con un número de teléfono. Elija a un alumno para que llame por teléfono diciendo en voz alta el número que tiene escrito. El compañero que tenga la otra tarjeta con el mismo número es el que recibe la llamada.

Puede llevar un par de teléfonos móviles de juguete como *atrezzo* de la escenificación. Entregue a ambos alumnos los teléfonos para que representen la conversación telefónica. Repita el procedimiento con tantas parejas de alumnos como estime conveniente.

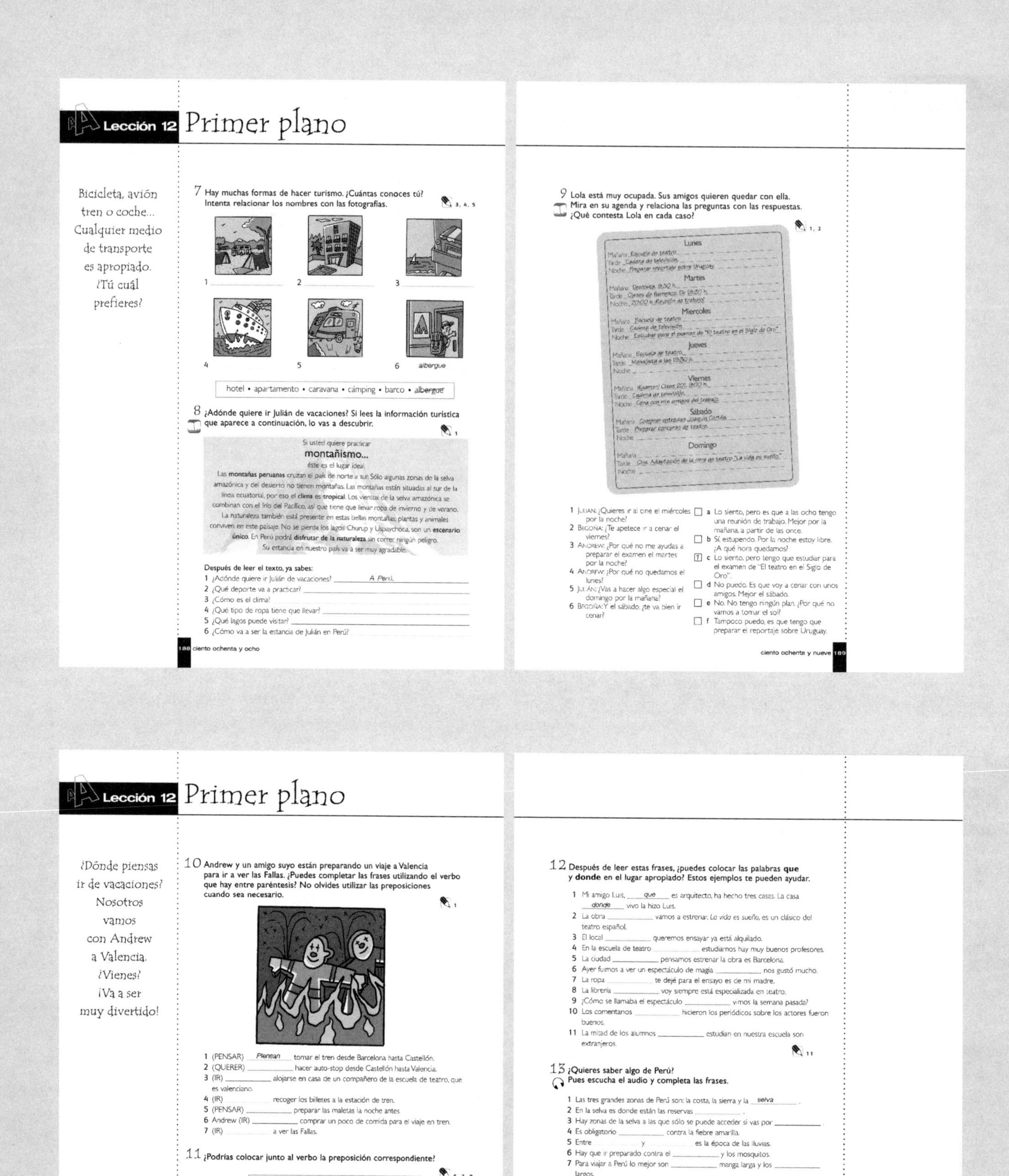

Bicicleta, avión tren o coche... Cualquier medio de transporte es apropiado. ¿Tú cuál prefieres?

7 Hay muchas formas de hacer turismo. ¿Cuántas conoces tú? Intenta relacionar los nombres con las fotografías. 3, 4, 5

1 ______ 2 ______ 3 ______

4 ______ 5 ______ 6 *albergue*

hotel • apartamento • caravana • cámping • barco • ~~albergue~~

8 ¿Adónde quiere ir Julián de vacaciones? Si lees la información turística que aparece a continuación, lo vas a descubrir. 1

Si usted quiere practicar

montañismo...

éste es el lugar ideal.

Las **montañas peruanas** cruzan el país de norte a sur. Sólo algunas zonas de la selva amazónica y del desierto no tienen montañas. Las montañas están situadas al sur de la línea ecuatorial, por eso el **clima es tropical**. Los vientos de la selva amazónica se combinan con el frío del Pacífico, así que tiene que llevar ropa de invierno y de verano. La naturaleza también está presente en estas bellas montañas; plantas y animales conviven en este paisaje. No se pierda los lagos Churup y Uspaychoca, son un **escenario único**. En Perú podrá **disfrutar de la naturaleza** sin correr ningún peligro. Su estancia en nuestro país va a ser muy agradable.

Después de leer el texto, ya sabes:

1 ¿Adónde quiere ir Julián de vacaciones? *A Perú.*
2 ¿Qué deporte va a practicar? ______
3 ¿Cómo es el clima? ______
4 ¿Qué tipo de ropa tiene que llevar? ______
5 ¿Qué lagos puede visitar? ______
6 ¿Cómo va a ser la estancia de Julián en Perú? ______

9 Lola está muy ocupada. Sus amigos quieren quedar con ella. Mira en su agenda y relaciona las preguntas con las respuestas. ¿Qué contesta Lola en cada caso? 1, 2

Lunes
Mañana: Escuela de teatro.
Tarde: Cadena de televisión.
Noche: Preparar reportaje sobre Uruguay.

Martes
Mañana: Dentista. 9:30 h.
Tarde: Clases de flamenco. De 18:30 h.
Noche: 20:00 h ¡Reunión de trabajo!

Miercoles
Mañana: Escuela de teatro.
Tarde: Cadena de televisión.
Noche: Estudiar para el examen de "El teatro en el Siglo de Oro"

Jueves
Mañana: Escuela de teatro.
Tarde: Masajista a las 19:30 h.
Noche:

Viernes
Mañana: ¡Examen! Clase 205. 9:00 h.
Tarde: Cadena de televisión.
Noche: Cena con mis amigos del trabajo.

Sábado
Mañana: Comprar entradas Joaquín Cortés.
Tarde: Preparar concurso de teatro.
Noche:

Domingo
Mañana:
Tarde: Cine. Adaptación de la obra de teatro "La vida es sueño."
Noche:

1 JULIAN: ¿Quieres ir al cine el miércoles por la noche?
2 BEGOÑA: ¿Te apetece ir a cenar el viernes?
3 ANDREW: ¿Por qué no me ayudas a preparar el examen el martes por la noche?
4 ANDREW: ¿Por qué no quedamos el lunes?
5 JULIÁN: ¿Vas a hacer algo especial el domingo por la mañana?
6 BEGOÑA: Y el sábado, ¿te va bien ir cenar?

☐ a Lo siento, pero es que a las ocho tengo una reunión de trabajo. Mejor por la mañana, a partir de las once.
☐ b Sí, estupendo. Por la noche estoy libre. ¿A qué hora quedamos?
[1] c Lo siento, pero tengo que estudiar para el examen de "El teatro en el Siglo de Oro".
☐ d No puedo. Es que voy a cenar con unos amigos. Mejor el sábado.
☐ e No. No tengo ningún plan. ¿Por qué no vamos a tomar el sol?
☐ f Tampoco puedo, es que tengo que preparar el reportaje sobre Uruguay.

¿Dónde piensas ir de vacaciones? Nosotros vamos con Andrew a Valencia. ¿Vienes? ¡Va a ser muy divertido!

10 Andrew y un amigo suyo están preparando un viaje a Valencia para ir a ver las Fallas. ¿Puedes completar las frases utilizando el verbo que hay entre paréntesis? No olvides utilizar las preposiciones cuando sea necesario. 1

1 (PENSAR) *Piensan* tomar el tren desde Barcelona hasta Castellón.
2 (QUERER) ______ hacer auto-stop desde Castellón hasta Valencia.
3 (IR) ______ alojarse en casa de un compañero de la escuela de teatro, que es valenciano.
4 (IR) ______ recoger los billetes a la estación de tren.
5 (PENSAR) ______ preparar las maletas la noche antes.
6 Andrew (IR) ______ comprar un poco de comida para el viaje en tren.
7 (IR) ______ a ver las Fallas.

11 ¿Podrías colocar junto al verbo la preposición correspondiente? 6, 7, 8

~~de~~ • por • por • a • en • en • a • por • a

Lola y Begoña salen *de* casa a las diez de la mañana. Van ______ un ensayo de teatro. Pasan ______ una tienda de teléfonos móviles y, de repente, Begoña recuerda que ha olvidado el suyo, así que vuelve ______ casa a buscarlo.

Mientras tanto, Lola continúa su camino, quiere llegar ______l teatro puntual pero cuando llega, intenta abrir la puerta y entrar ______ el vestíbulo, no puede. ¡El teatro todavía está cerrado! No tiene más remedio que quedarse ______ la calle esperando a que abran. ¡No tiene que ponerse nerviosa, calma!

Quien no se pone nerviosa nunca es Begoña, ¡está paseando ______ la calle y hablando ______ teléfono!

12 Después de leer estas frases, ¿puedes colocar las palabras **que** y **donde** en el lugar apropiado? Estos ejemplos te pueden ayudar.

1 Mi amigo Luis, *que* es arquitecto, ha hecho tres casas. La casa *donde* vivo la hizo Luis.
2 La obra ______ vamos a estrenar, *La vida es sueño*, es un clásico del teatro español.
3 El local ______ queremos ensayar ya está alquilado.
4 En la escuela de teatro ______ estudiamos hay muy buenos profesores.
5 La ciudad ______ pensamos estrenar la obra es Barcelona.
6 Ayer fuimos a ver un espectáculo de magia ______ nos gustó mucho.
7 La ropa ______ te dejé para el ensayo es de mi madre.
8 La librería ______ voy siempre está especializada en teatro.
9 ¿Cómo se llamaba el espectáculo ______ vimos la semana pasada?
10 Los comentarios ______ hicieron los periódicos sobre los actores fueron buenos.
11 La mitad de los alumnos ______ estudian en nuestra escuela son extranjeros.

11

13 ¿Quieres saber algo de Perú? Pues escucha el audio y completa las frases.

1 Las tres grandes zonas de Perú son: la costa, la sierra y la *selva*.
2 En la selva es donde están las reservas ______.
3 Hay zonas de la selva a las que sólo se puede acceder si vas por ______.
4 Es obligatorio ______ contra la fiebre amarilla.
5 Entre ______ y ______ es la época de las lluvias.
6 Hay que ir preparado contra el ______ y los mosquitos.
7 Para viajar a Perú lo mejor son ______ manga larga y los ______ largos.
8 Perú es uno de los ocho países más diversos del mundo porque allí vive más del ______ por ciento de las especies animales del planeta.

3, 4, 5

Recuerda

lejos · cerca · encima · debajo · delante · detrás

Destaque la doble posibilidad del marcador *esta semana, este fin de semana*, etc., para referirse tanto al pasado como al futuro.

7. Pregunte a sus alumnos si conocen o han practicado alguna otra forma de hacer turismo, por ejemplo, viajar en bicicleta, en tren, en globo, a caballo, en un todoterreno, etc.

8. Pregunte a los alumnos si han practicado alguna vez montañismo, si conocen algo sobre este deporte, o si en su país hay zonas de especial interés para practicarlo. Si manifiestan interés, puede explicarles dónde hay zonas montañosas en España e Hispanoamérica.

9. Aproveche la agenda para realizar preguntas a los alumnos sobre lo que va a hacer Lola, qué planes y proyectos tiene para esta semana, qué días tiene libres, etc. Destaque las formas que utiliza Lola para rechazar las invitaciones para quedar y cómo suaviza el rechazo explicando por qué no puede ir.

10. Aproveche la actividad para informar a los alumnos de la famosa fiesta de las Fallas de Valencia en España.

13. Relacione temáticamente esta audición con el texto del ejercicio 8.

Actividades alternativas

D. Pregunte a los alumnos en qué situaciones utilizan el teléfono, por ejemplo: para hablar sobre todo con una persona determinada, para pedir información meteorológica, para comprar entradas para un espectáculo, para pedir información sobre servicios, etc.

E. Invite a sus alumnos a que elaboren una lista de cosas que piensan hacer la próxima semana. Posteriormente, en parejas, se formularán preguntas sobre sus planes y los compararán entre sí. La información puede ser inventada. Fije su atención en las estructuras *pienso + infinitivo, voy a + infinitivo, quiero + infinitivo*.

F. Anímelos a comentar en clase cuáles son sus hábitos a la hora de viajar, por ejemplo: cuánto viajan, cómo, con quién, para qué viajan, en qué época del año, etc.

Después puede crear en clase una pequeña discusión sobre los inconvenientes y las ventajas de viajar de un modo u otro, por ejemplo: *Viajar en caravana es muy divertido y muy barato, pero es muy cansado.*

G. Dibuje un mapa en la pizarra y diga que se trata de un país o una isla imaginaria. Solicite a sus alumnos que le indiquen accidentes geográficos o pueblos, y el lugar donde quieren que aparezcan en el mapa. Solicite que le den instrucciones claras para poder dibujar el mapa del lugar correctamente, por ejemplo, *en el norte hay una montaña, en el sur hay un lago*, etc.

Los alumnos pueden hablar correlativamente, y si uno de ellos se queda bloqueado le puede ayudar cualquier compañero. Tras esta demostración, invite a algún alumno a ocupar su lugar frente a la pizarra para que dibuje los lugares imaginarios o reales que le indiquen sus compañeros. Opcionalmente, puede retomar el vocabulario de los fenómenos meteorológicos vistos en la lección anterior, aquí aplicado a las distintas regiones.

H. Sugiera a los alumnos que se imaginen que una amiga suya va a ir a su país a visitarles. Anímeles a que le expliquen de forma oral, o en una carta, cómo es su país, qué se puede visitar, cómo puede ir, cómo viajar dentro de la región recomendada, etc.

I. Proponga a sus alumnos que piensen en las vacaciones que les gustaría realizar y comente con ellos el lugar al que les gustaría ir, cómo es, por qué quieren ir allí, si ya han estado allí alguna vez, si conocen algo sobre la cultura del lugar o sobre la lengua, etc. Puede hacer una lista de los países o lugares que despiertan más interés y son más atractivos para los alumnos.

Anímelos a formar pequeños grupos según sus intereses, y a elaborar un pequeño folleto publicitario sobre el país que quieren visitar para mostrar y convencer al resto de compañeros de la clase de los atractivos que tiene el país que han elegido. Propóngales que busquen y recojan datos de interés para aportarlos a la clase. Ofrézcales la ayuda necesaria para acceder a la información que deseen conocer y despertar en ellos curiosidad, preferiblemente por algún país hispano.

J. Invite a sus alumnos a que se organicen en pequeños grupos para planificar todos juntos unas vacaciones de quince días en una casa en el campo, al lado de un río y de un bosque, sin televisión, ni ordenadores. Cada grupo elabora una lista de seis actividades. Después, cada grupo expone a la clase sus propuestas y, entre todos, votan las doce ideas y las actividades más atractivas, divertidas o sugerentes.

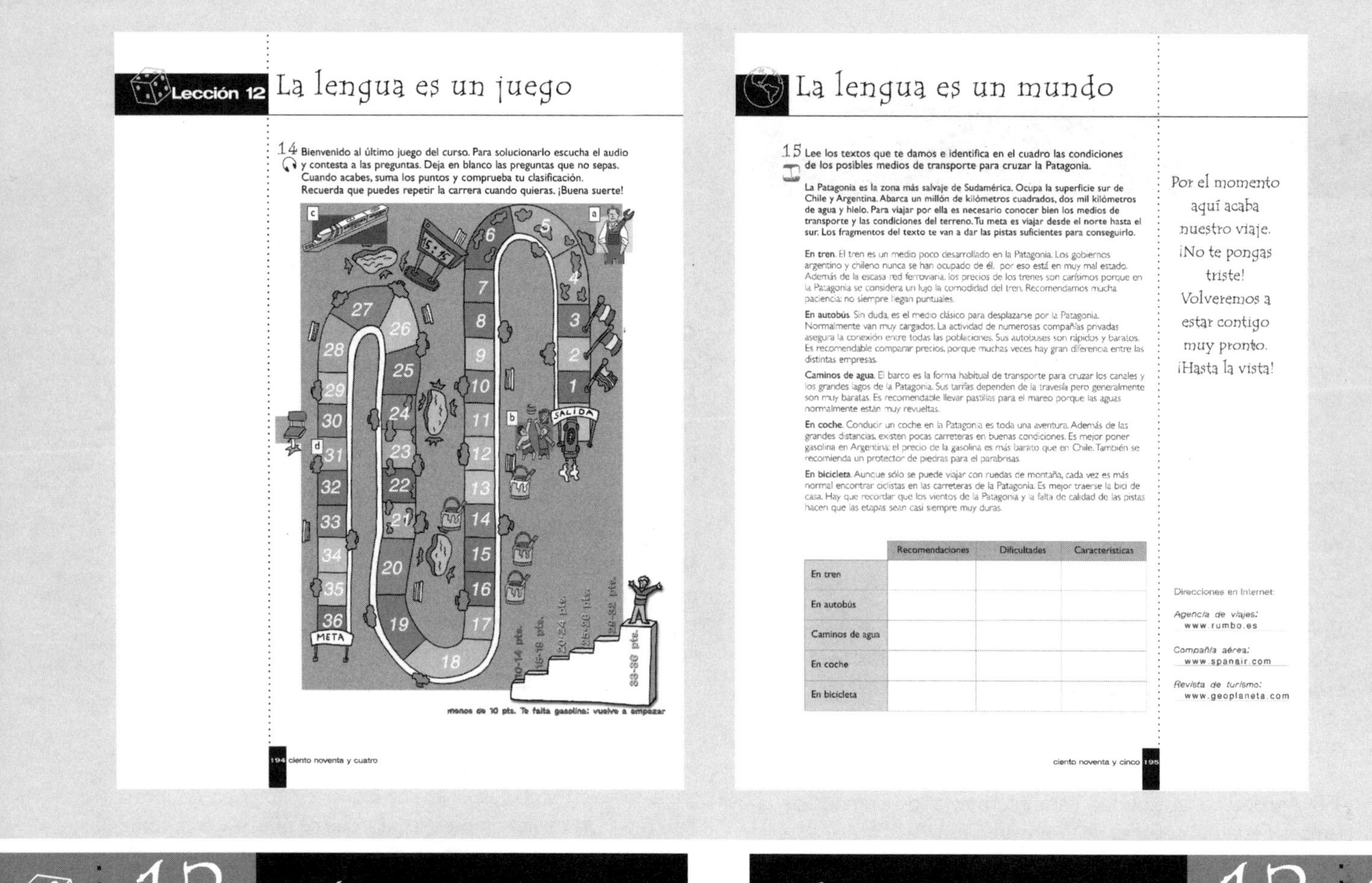

La lengua es un juego

14 Bienvenido al último juego del curso. Para solucionarlo escucha el audio y contesta a las preguntas. Deja en blanco las preguntas que no sepas. Cuando acabes, suma los puntos y comprueba tu clasificación. Recuerda que puedes repetir la carrera cuando quieras. ¡Buena suerte!

menos de 10 pts. Te falta gasolina: vuelve a empezar

La lengua es un mundo

15 Lee los textos que te damos e identifica en el cuadro las condiciones de los posibles medios de transporte para cruzar la Patagonia.

La Patagonia es la zona más salvaje de Sudamérica. Ocupa la superficie sur de Chile y Argentina. Abarca un millón de kilómetros cuadrados, dos mil kilómetros de agua y hielo. Para viajar por ella es necesario conocer bien los medios de transporte y las condiciones del terreno. Tu meta es viajar desde el norte hasta el sur. Los fragmentos del texto te van a dar las pistas suficientes para conseguirlo.

En tren. El tren es un medio poco desarrollado en la Patagonia. Los gobiernos argentino y chileno nunca se han ocupado de él, por eso está en muy mal estado. Además de la escasa red ferroviaria, los precios de los trenes son carísimos porque en la Patagonia se considera un lujo la comodidad del tren. Recomendamos mucha paciencia: no siempre llegan puntuales.

En autobús. Sin duda, es el medio clásico para desplazarse por la Patagonia. Normalmente van muy cargados. La actividad de numerosas compañías privadas asegura la conexión entre todas las poblaciones. Sus autobuses son rápidos y baratos. Es recomendable comparar precios, porque muchas veces hay gran diferencia entre las distintas empresas.

Caminos de agua. El barco es la forma habitual de transporte para cruzar los canales y los grandes lagos de la Patagonia. Sus tarifas dependen de la travesía pero generalmente son muy baratas. Es recomendable llevar pastillas para el mareo porque las aguas normalmente están muy revueltas.

En coche. Conducir un coche en la Patagonia es toda una aventura. Además de las grandes distancias, existen pocas carreteras en buenas condiciones. Es mejor poner gasolina en Argentina: el precio de la gasolina es más barato que en Chile. También se recomienda un protector de piedras para el parabrisas.

En bicicleta. Aunque sólo se puede viajar con ruedas de montaña, cada vez es más normal encontrar ciclistas en las carreteras de la Patagonia. Es mejor traerse la bici de casa. Hay que recordar que los vientos de la Patagonia y la falta de calidad de las pistas hacen que las etapas sean casi siempre muy duras.

	Recomendaciones	Dificultades	Características
En tren			
En autobús			
Caminos de agua			
En coche			
En bicicleta			

Por el momento aquí acaba nuestro viaje. ¡No te pongas triste! Volveremos a estar contigo muy pronto. ¡Hasta la vista!

Direcciones en Internet:

Agencia de viajes: www.rumbo.es

Compañía aérea: www.spanair.com

Revista de turismo: www.geoplaneta.com

1 4. En este juego se hace una revisión de algunos contenidos léxicos, gramaticales y funcionales aparecidos en lecciones anteriores.

Puede organizar de diferentes formas esta actividad de tipo concurso: los alumnos de toda la clase participan de forma individual; o bien se alían en grupos de tres y compiten unos grupos contra otros; o bien distribuya el número de las preguntas entre los alumnos o grupos de alumnos para que antes de la audición sepan las preguntas que tienen que responder cada uno. Si lo cree necesario, repita la audición.

Al finalizar, contabilice aciertos para proclamar ganadores a los que han cometido menos errores. Lleve algún premio simbólico y de poco valor para incrementar el grado lúdico del juego.

Actividades alternativas

K. Como actividad de evaluación formativa, los alumnos se pueden organizar en grupos para elaborar ellos mismos nuevas preguntas sobre cualquier contenido del curso que serán respondidas por los compañeros. Pida que escriban, en un papel aparte, las respuestas a cada pregunta.

1 5. Pregunte a sus alumnos por sus preferencias acerca de los distintos medios de transporte mencionados en el texto y su opinión. Pregunte también si conocen la Patagonia y saben ubicarla geográficamente.

Anime a los alumnos a explicar cómo creen que va a ser su viaje por la Patagonia, haciendo referencia a los medios de transporte que se mencionan en la actividad, por ejemplo: *primero cogeremos un autobús hasta..., después queremos alquilar un todoterreno para...*). Explíqueles que para realizar esta actividad deben utilizar las estructuras para hablar del futuro así como los verbos con preposiciones que han utilizado a lo largo de la lección.

Actividades alternativas

L. Proponga que escriban un texto explicando el medio de transporte más indicado para conocer y viajar por la región donde viven.